これでも
言語学
中国の中の「日本語」

牧 秀樹 [著]

開拓社

まえがき

　本書では、中国の中に、日本語のような言語を話す民族がかなりおり、その民族が話す言語の性質を示しながら、日本語・日本人が通って来たかもしれない道を探っていこうと思います。

　私が、日本語・日本人が通って**来た**かもしれない道に興味があるのは、実は、日本語・日本人が通って**行った**かもしれない道を実感したからです。1997年、今から25年ほど前、私がまだ米国で働いている頃、ユタ州・アリゾナ州に旅に出ました。ただの観光旅行で、誰もがそうするように、モニュメントバレーやグランドキャニオンを見て回りました。その途中で、ナバホ族が居住する地区にも立ち寄りました。そこで、ナバホ族の女性で、ガイドさんによると、スーチーアージーさんという名の女性に出会いました。ホーガンと言われる土と木組みの住居の中に入らせてもらい、初めてナバホ族の生活の一部を見ました。しかし、私の心から離れなかったのは、スーチーアージーさんの**見た目**でした。もう、ほとんど、私の日本の実家（愛知県西尾市一色町）の周りにいる初老の女性と変わりません。

　これは、高校生の頃、歴史の授業で習ったことだと、その時、初めて実感しました。約3万年前か、それより遅い時代、ユーラシア大陸にいたモンゴロイドが、そして、日本人もモンゴロイドの一部ですが、ベーリング海峡を渡り、アメリカ大陸に初めて渡ったと考えられています。さらに、北アメリカに渡ったモンゴロイドは、約1万年前には南アメリカ最南端のマゼラン海峡地域まで達していたとも考えられています。

　だから見た目がそっくりなのかと、高校を出てから10数年ほど経て、やっと理解できました。その後も、このことが気になり、1998年に、南米を旅しました。ブラジル、アルゼンチン、チリ、ペルー。まさに、私と見た目がそっくりの人々であふれていました。さらに気になって、1999

年に、メキシコを訪れました。もうこの頃には、我慢できなくなって、ツアーガイドのポコさんに、思わず、尋ねてしまいました。「ポコさん、ポコさんは、生まれたばかりの頃、尻に、青いあざがありましたか？」ポコさんは、普通に、「ありましたよ。みんなありますよ、子供の頃は。」と答えました。蒙古斑。私もありました。家族によると。それが、アメリカ大陸に渡った人々の子孫にも、普通にあるのです。これで、完全に、私たちモンゴロイド、私たち日本人と、アメリカ大陸に最初に渡った人々とその子孫は、遺伝的に親戚だということが実感できました。

　実際、Rasmussen et al.（2014）による DNA 分析の結果が Nature というジャーナルに掲載され、最も早くアメリカ大陸に渡ってきた人々の祖先は、東アジアの人々であるということが明示的に示されています。この結果は、約 1 万 3000 年前に埋葬された約 1 歳から 1 歳半の男児の骨から抽出した DNA の分析で明らかになったそうです。

　そうなると、突然、新しい問いが出てきます。日本人が通って**行った**かもしれない道は明らかになったが、日本人が通って**来た**かもしれない道は、どうなっているんだろうか？　もちろん、一定の解答は、人類の誕生から考えれば、明らかです。私たちホモ・サピエンスの先祖がアフリカで誕生したのなら、そこからユーラシア大陸に渡り、その後、ユーラシア大陸を東へ東へと歩みを進め、時には、海に出たりしながら、ユーラシア大陸の東端まで到達したのが、日本人なんだと。（これについては、篠田謙一氏（国立科学博物館人類研究部人類研究部長）のミトコンドリア DNA の解析による詳細な研究結果によって、明らかになっています。最終章で触れます。）

　ホモ・サピエンスの移動については、これでほぼ正解だと思います。ところが、言語の観点からすると、とても不思議なことが起きています。アフリカの言語と日本の言語と、なんだか、ちょっと違うなあと。もっと近くを見て見ると、中国語と日本語は、なんだか、かなり違っているなあと。もちろん、日本語内部においても、方言があり、バリエーションがあ

iv

るので、他の地域の言語と日本の言語にバリエーションがあっても、おかしくありません。しかし、日本語内部におけるバリエーションは、単語がある程度異なることはあっても（例えば、「ありがとう」（NHK の日本語）と「おおきに」（大阪方言））、文法が根本的に異なっているということはありません。それに対して、中国語と日本語は、ほぼお隣にあるにもかかわらず、文法的には、表面上、かなり異なっています。中国語と日本語は、同じ言語の方言同士であるとはなかなか言いにくいように見えます。そうすると、こんな問いが出てきます。いったいどうやって、日本語は、中国を飛び越えて、日本にたどり着いたんだろうか？

　本書では、この問いに答えるために、中国国内に住む少数民族の言語の性質を明らかにしていきます。本書の最後には、ああ、そういうことだったのかと合点がいくかもしれません。本書は、前著『誰でも言語学』の姉妹作です。気楽に楽しんでいただき、ご友人やご家族に、物知り顔で話していただければ、さいわいです。「ねえねえ、こんなの知ってる？」

　この本を書くにあたって、以下の皆様からいろいろ助けていただきました。心より、感謝します。

　まずは、執筆にあたって示唆をくださった方々。包麗娜氏、Amanullah Bhutt 氏、ドルジェッツォ氏、Gilles Guerrin 氏、長谷部めぐみ氏、胡雪滢氏、靳暁雨氏、金銀姫氏、宮川創氏、Sikder Monoare Murshed 氏、中村真子氏、新沼史和氏、Dónall P. Ó Baoill 氏、Máire Ó Baoill 氏、邱曉石氏、ショロン氏、Alexandra von Fragstein 氏、Harald von Fragstein 氏、王春秋氏、王任菲氏、王少鴿氏、呉佩之氏、呉文亮氏、ウリグムラ氏、謝雨晗氏、徐川氏、姚夏蔭氏、姚雲倩氏、イリチ氏、張震氏、周佳瑋氏。

　この中でも、王少鴿氏には、最大の感謝をしたいと思います。王少鴿氏の突出したネットワーキング能力のおかげで、本書に出てくる諸言語の重要な例文の文法性判断を母語話者に何度も確認することができました。

続いて、言語データを提供してくださった方々。Amanullah Bhutt 氏（ウルドゥ語）、Sikder Monoare Murshed 氏（ベンガル語）、イリチ氏、ウリグムラ氏、包麗娜（Bao Lina）氏（モンゴル語）、王碩（Wang Shuo）氏（満州語）、佟靖（Tong Jing）氏、关明书（Guan Mingshu）氏（錫伯語）、金銀姫（Jin Yinji）氏（延辺語）、Mijiti Maihemuti 氏、Yaxar 氏（ウイグル語）、Begzodbek Mukhtorov 氏（ウズベク語）、Ayibota 氏、Nurziya 氏（カザフ語）、ドルジェッツォ氏（チベット語）、和玲莉（Hoq Liqlil）氏、和琼（Hoq Qeq）氏、和丽昆（Hoq Likui）氏（納西語）、彭子桐（Peng Zitong）氏（土家語）、王秀功（Wang Xiugong）氏（布依語）、Siriwat Kodchakorn 氏、Wachirawit Songphut 氏（タイ語）。

さらに、写真を提供してくださった方々。王碩氏（満州族（本人））、Ayibota 氏（カザフ族（本人））、王少鸽氏（土家族（民族衣装））、靳霊斗氏（布依族（民族衣装）））。

最後に、私の授業に参加してくれた学生のみんな、そして、私の研究室に所属している学生のみんな。

2021 年 3 月

牧　秀樹

地図1： この本に出てくる中国少数民族の言語の場所

ウイグル語、ウズベク語、延辺語、カザフ語、錫伯語、チベット語、土家語、納西語、布依語、満州語、モンゴル語

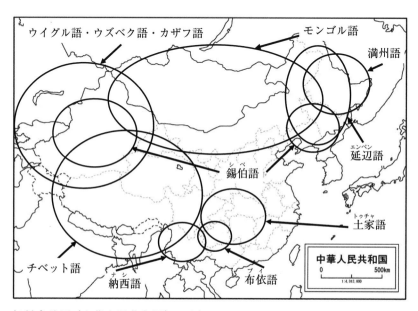

無料白地図（中華人民共和国）：三角

(http://www.freemap.jp/item/asia/china.html)

地図 2： この本に出てくる中国少数民族の言語以外の言語の場所[*]

アイルランド語、ウルドゥ語、英語、タイ語、中国語、ドイツ語、ナバホ語、日本語、フランス語、ベンガル語

*各言語が話されている場所は、煩雑さを避けるため、完全には網羅されていません。

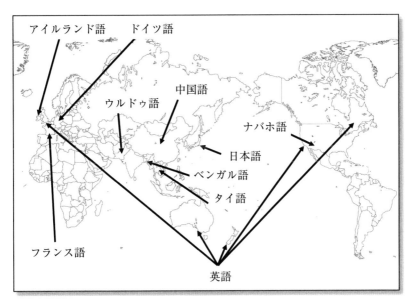

無料白地図：ちびむすドリル小学生（http://happylilac.net/sy-sekaitizu-s3.html）

文 字

　この本に出てくる言葉で、私の名前「まきひでき／牧秀樹」を書いてみ
たら、こうなりました。

1.　ウルドゥ語（横書き、左から右へ）ikaM ikediH

　　هدیکی ماکی

2.　ベンガル語（横書き、左から右へ）Hideki Maki

　　হিদেকি মাকি

3.　モンゴル語（縦書き、上から下へ）Maki Hideki

4.　満州語（縦書き、上から下へ）Maki Hideki

5. シベ語 (縦書き、上から下へ) Maki Hideki

ᠣᡳᠺᡳ

6. 延辺語 (横書き、左から右へ) Maki Hideki

마키 히데키

7. ウズベク語 (横書き、左から右へ) Hideki Maki

Хидеки Маки (発音 : Hideki Maki) キリル文字

8. ウイグル語 (横書き、右から左へ) ikaM ikediH

ھىيدىكى ماكى

9. カザフ語 (横書き、右から左へ) ikaM ikediH

حيده كي ماكي

10. チベット語 (横書き、左から右へ) Hideki Maki

হিদেকি মাকি

11. 土家語 (横書き、左から右へ) Maki Hideki

牧秀树 (発音 : mù xiù shù)

x

12. ナシ語（横書き、左から右へ）Maki Hideki

牧　秀　樹

13. プイ語（横書き、左から右へ）Maki Hideki

Muf Xiuq Suq

14. タイ語（横書き、左から右へ）Hideki Maki

ฮิเดกิ มากิ

省略記号

1	1 人称
2	2 人称
3	3 人称
Alt	向格
Anti-Pass	逆受動態
Erg	能格
F	女性
M	男性
Ntr	中性
O	目的語
PeP	人称代名詞
Pl	複数
PoP	所有代名詞
Q	疑問助詞
RP	関係代名詞
S	主語
Sg	単数
Top	話題
V	動詞

目　次

1章　日本語・中国語・英語

言いたいこと：日本語・中国語・英語の違いは、助詞・語順・一致。

　本書では、まえがきで触れたように、中国の中に、日本語のような言語を話す民族がかなりおり、その民族が話す言語の性質を示しながら、日本語・日本人が通って来たかもしれない道を探っていこうと思います。そのために、まず、本章で、日本語の特徴を、中国語と英語と比較しながら、明確にします。

　具体的に、各言語の特徴を見ていく前に、これら3言語が、いったい、「一般的に」どのように捉えられているかを見ておきたいと思います。その目的のために、以下では、日本語版ウィキペディア（https://ja.wikipedia.org/wiki/）からの情報を要約します。まず、英語は、https://ja.wikipedia.org/wiki/ 英語によれば、インド・ヨーロッパ語族のゲルマン語派に属する言語です。その仲間は、ドイツ語やスウェーデン語などです。次に、中国語は、https://ja.wikipedia.org/wiki/ 中国語によれば、シナ・チベット語族のシナ語派に属する言語です。本書では、チベット語も見ますが、チベット語と中国語の関係と比べると、チベット語と日本語の関係のほうが近いようにも見えます。最後に、日本語は、https://ja.wikipedia.org/wiki/ 日本語によると、本当におもしろい言語です。「日本語（族）の系統は明らかでなく、解明される目途も立っていない。」と記述されています。さらに、文部科学省検定済教科書高等学校地理歴史科用の山川出版から出版

されている木村ほか（2020, p. 13）『改訂版詳説世界史B』においても、「日本語と朝鮮語の帰属については定説がない。」と記述されています。一方、文部科学省検定済教科書高等学校地理歴史科用の東京書籍から出版されている福井ほか（2020, p. 25）『世界史B』においては、「日本語は、文法的には北方のアルタイ語族・ツングース語派に属するが、語彙は南方のオーストロネシア語族やオーストロアジア語族の影響が強い。」と記述されています。また、Workshop on Altaic Formal Linguistics（WAFL）＝アルタイ語形式言語学会という学会は、Altaic という語は、テュルク語群、モンゴル語群、ツングース語群と、韓国語、日本語、琉球語、アイヌ語を含むものと理解されると述べています。このことから、これらの言語が一つのグループをなすと考える専門家がいると考えられます。本書は、この混とんとした日本語の系統の状況に、少しでも光が当てられるよう、中国内部における諸言語を詳しく見ながら、日本語が通って来たかもしれない道を探っていきたいと思います。

　それでは、まず、3言語の語順から見ていきましょう。文の主要な要素として、主語（Subject＝S）、動詞（Verb＝V）、目的語（Object＝O）を使用した場合、世界の言語は、大きく三つに分かれます。

(1)　世界の言語の主な語順
　　a.　SOV
　　b.　SVO
　　c.　VSO

(1a) の SOV は、文の最後に動詞が来ます。日本語の形です。(1b) のSVO は、文の真ん中あたりに動詞が来ます。中国語や英語の形です。(1c) の VSO は、文の先頭に動詞が来ます。アイルランド語の形です。世界の言語を見てみると、SOV 型と SVO 型は、それぞれ45％くらい、そして、VSO 型が10％くらいだと言われています。例で見て見ると、(2)-(5) のようになります。(3) では、4行目に、現在の中国で用いられ

ている簡体字という、漢字を少し簡略した字で書いた場合を示し、5 行目に、簡体字になる前の漢字（繁体字）で書いた場合を示します。日本語で使われている漢字は、5 行目に出てくる漢字に近いものです。中国の新聞や教科書では、4 行目に出てくる漢字を使っています。ちなみに、「張三」は、人の名前です。「張」が名字で、「三」が名前です。張家の三番目の男の子というような意味です。

(2)　たけしが　きよしを　褒めた。(SOV) 日本語

(3)　Zhangsan biaoyang-le Lisi.　 (SVO) 中国語 (ローマ字で書いた場合)
　　　張三　　　　褒め–た　　李四　　　　　　　　(各単語の意味)
　　　'張三が李四を褒めた。'　　　　　　　　　　(文全体の意味)
　　　张三表扬了李四.　　　　　　　　　　　　　(簡体字で書いた場合)
　　　張三表揚了李四.　　　　　　　　　　　　　(繁体字で書いた場合)

(4)　Takeshi　praised　Kiyoshi.　　(SVO) 英語
　　　たけし　褒めた　きよし
　　　'たけしがきよしを褒めた。'

(5)　Mhol　Seán　　Máire.　　(VSO) アイルランド語
　　　褒めた　ショーン　モーィレ
　　　'ショーンがモーィレを褒めた。'

このように、語順に関する限り、日本語は、中国語と英語と決定的に異なっています。
　次に、助詞を見ます。以下では、「の」と「は」という助詞を見ます。まず、「の」から。日本語の「の」は、(6) に見られるように、名詞と名詞の間に現れます。

(6)　たけしの本

さらに、日本語においては、主語が「の」を伴って出現できます。一般的には、主語は、「が」を伴って出現しますが、名詞を修飾する際は、どちらも出現可能です。(7) と (8) を見てください。

(7) [土曜日に　たけしが　買った] 本は、この本です。

(8) [土曜日に　たけしの　買った] 本は、この本です。

(7) では、「本」を修飾する関係節「土曜日に　たけしが　買った」の中の主語は、「が」主語で、この文は、日本語として正しい文です。一方、(8) では、「本」を修飾する関係節「土曜日に　たけしの　買った」の中の主語は、「の」主語で、この文も、日本語として正しい文です。

　中国語を見てみましょう。中国語の「の」=「的」も、(9) に見られるように、名詞と名詞の間に現れます。

(9) Zhangsan-de shu
　　張三-の　　　本
　　'張三の本'
　　张三的书
　　張三的書

では、文の中に「の」主語が現れるかどうか見てみましょう。(3) で見たように、中国語には、主語に「が」のような助詞が付きません。では、「の」が付いたらどうなるか見て見ましょう。(10) は、主語に助詞が付いていない例、(11) は、主語に助詞の「の」が付いている例です。

(10) [Xingqiliu Zhangsan mai]-de shu shi zhe ben.
　　 [土曜日　　張三　　　買う]-の　本　です　この　冊
　　 '土曜日に張三が買った本は、これです。'
　　 星期六张三买的书是这本。
　　 星期六張三買的書是這本。

(11)　[Xingqiliu Zhangsan-de mai]-de shu shi zhe ben.
　　　[土曜日　張三-の　　買う]-の　本　です　この　冊
　　　'土曜日に張三の買った本は、これです。'
　　　星期六张三的买的书是这本。
　　　星期六張三的買的書是這本。

(10) の文は、中国語として正しい文です。一方、(11) の例に関しては、正しいと感じる母語話者もいれば、正しくないと感じる母語話者もいるようです。つまり、日本語における (8) の文のように、どの母語話者にとっても正しい文であるというわけではないようです。したがって、本書では、中国語の「の」主語は、不安定だと言うことにします。

　続いて、英語の例を見てみましょう。英語の「の」＝「's」は、(12) に見られるように、名詞と名詞の間に現れます。

(12)　Takeshi's book

では、文の中に「の」主語が現れるかどうか見てみましょう。以下、誤っている文の先頭に、* という印をつけます。

(13)　The book [Takeshi bought on Saturday] is　this　one.
　　　その本　[たけし　買った　に　土曜日]　です　この　もの
　　　'土曜日にたけしが買った本は、この本です。'

(14)　*The book [Takeshi's bought on Saturday] is　this　one.
　　　その本　[たけし　買った　に　土曜日]　です　この　もの
　　　'土曜日にたけしの買った本は、この本です。'

(13) の文は、英語として正しい文です。一方、(14) の例は、英語として、全く正しくありません。したがって、英語では、関係節内部の「の」主語は、不可能であるということが分かります。

　「の」主語についてまとめると、日本語は、完全に可能であるのに対し、英語は、完全に不可能であり、中国語は、不安定であるということになります。

　次に、日本語の「は」という助詞を見ます。「は」には、大きく二つの意味があります。一つは、話題、もう一つは、比較です。話題とは、その会話の中で、もうすでに、その会話に参加している人たちが、知っているようなことです。具体的には、(15) と (16) で見られるように、文の先頭に来ます。

　(15)　たけしは、『フランス座』という本を　書いた。

　(16)　『フランス座』という本は、たけしが、書いた。

(15) では、その文が出てくる直前までの会話の中で、たけしについて、何かすでに話されていて、「たけしはね」という具合に、文の先頭に出てきています。(16) では、その文が出てくる直前までの会話の中で、『フランス座』という本について、何かすでに話されていて、「『フランス座』という本はね」という具合に、文の先頭に出てきています。

　それに対して、比較は、ちょっと状況が違います。(17) と (18) を見てみましょう。

　(17)　たけしが、『フランス座』という本は　書いた。

　(18)　『フランス座』という本を、たけしは、書いた。

(17) では、たけしが何か本を書いたんですが、それが、他の本ではなくて、『フランス座』という本であると、他と比較して、少し訂正気味に話されています。そういう場合に、「『フランス座』という本」は、比較されていると言います。(18) では、『フランス座』という本を誰かが書いたんですが、それが、他の人ではなくて、たけしであると、他と比較して、少し訂正気味に話されています。この場合も、「たけし」は、「なおき」やそ

の他の人と、比較されています。比較の意味を表す時は、「は」を付けて、少し強く読めば、はっきり、その意味が現れてきます。そして、比較の意味は、(17) や (18) のように、文の中に出てくることもあれば、(15) や (16) の例で、「は」を強く読めば、文頭に出てくることもあります。それに対して、話題の「は」は、主に、文頭に出て来ます。話題の「は」は、もう、皆が知っている内容であるので、強く読む必要がありません。強く読めば、話題の意味がなくなり、比較の意味になってしまいます。以下では、日本語で見られるような話題の「は」が、中国語や英語にあるかどうか見ていきます。

　まず、中国語から。中国語には、話題を示す、「は」に相当する助詞がありません。しかしながら、例えば、目的語を話題として示したい場合には、その目的語を文頭に持ってくれば、話題の意味が出てきます。(19) と (20) を見てください。

(19)　Zhangsan mai-le　zhe　ben　shu.
　　　張三　　　買っ-た　この　冊　　本
　　　'張三がこの本を買った。'
　　　张三买了这本书。
　　　張三買了這本書。

(20)　Zhe　ben　shu, Zhangsan　mai-le.
　　　この　冊　　本　　張三　　　買っ-た
　　　'この本は、張三が買った。'
　　　这本书 , 张三买了。
　　　這本書 , 張三買了。

(19) は、平叙文で、「張三がこの本を買った。」という意味を表しています。一方、(20) では、*Zhe ben shu*「この本」が文頭に来ており、意味は、「この本はね」という具合に、話題を表しています。中国語では、このよ

うに、話題となるものを文頭に持ってくるという方法で、話題を示すことができます。しかしながら、日本語との違いは、中国語には、話題を示す助詞が存在しないということです。

　続いて、英語を見てみましょう。

(21)　Takeshi　bought　this　book.
　　　　たけし　　買った　この　本
　　　'たけしがこの本を買った。'

(22)　This　book,　Takeshi　bought.
　　　　この　本　　　たけし　　買った
　　　'この本は、たけしが買った。'

(21) は、平叙文で、「たけしがこの本を買った。」という意味を表しています。一方、(22) では、*This book*「この本」が文頭に来ており、意味は、「この本はね」という具合に、話題を表しています。英語では、中国語と同じように、話題となるものを文頭に持ってくるという方法で、話題を示すことができます。しかしながら、日本語との違いは、英語には、話題を示す助詞が存在しないということです。

　話題の「は」についてまとめると、日本語には、話題を示す助詞「は」が存在するのに対し、中国語と英語には、それに対応する助詞が存在せず、話題となる表現を文頭に移動するだけで、話題を示すことができます。

　最後に、日本語と中国語が同様に振る舞い、英語が異なる行動を示す現象を一つ挙げておきます。それは、主語と動詞の一致です。英語には、3人称単数現在の S という特別なものが存在しますが、日本語と中国語には、存在していません。英語と日本語の例を、(23) に、中国語の例を、(24) に示します。

(23)　英語・日本語

    a. I　see　John　everyday.

       私　見る　ジョン　毎日

       '私は、毎日、ジョンを見ます。'

    b. Do　you　　see　John　everyday?

       Q　あなた　見る　ジョン　毎日

       'あなたは、毎日、ジョンを見ますか？'

    c. She　sees　John　　everyday.

       彼女　見る　ジョン　毎日

       '彼女は、毎日、ジョンを見ます。'

    d. He sees John　　everyday.

       彼　見る　ジョン　毎日

       '彼は、毎日、ジョンを見ます。'

    e. We　　see　John　everyday.

       私たち　見る　ジョン　毎日

       '私たちは、毎日、ジョンを見ます。'

    f. Do　you　　　see　John　everyday?

       Q　あなたたち　見る　ジョン　毎日

       'あなたがたは、毎日、ジョンを見ますか？'

    g. They　see　John　everyday.

       彼女ら　見る　ジョン　毎日

       '彼女らは、毎日、ジョンを見ます。'

    h. They　see　John　　everyday.

       彼ら　見る　ジョン　毎日

       '彼らは、毎日、ジョンを見ます。'

(24) 中国語

    a. Wo meitian jian Zhangan.

       私　　毎日　　　見る　張三

       '私は、毎日、張三を見ます。'

       我每天见张三。

       我每天見張三。

    b. Ni　　　meitian jian　Zhangan ma?

       あなた　毎日　　　見る　張三　　　か

       'あなたは、毎日、張三を見ますか？'

       你每天见张三吗？

       你每天見張三嗎？

    c. Ta　　meitian jian　Zhangan.

       彼女　毎日　　　見る　張三

       '彼女は、毎日、張三を見ます。'

       她每天见张三。

       她每天見張三。

    d. Ta meitian jian　Zhangan.

       彼　毎日　　　見る　張三

       '彼は、毎日、張三を見ます。'

       他每天见张三。

       他每天見張三。

    e. Women meitian jian　Zhangan.

       私たち　毎日　　　見る　張三

       '私たちは、毎日、張三を見ます。'

       我们每天见张三。

       我們每天見張三。

    f. Nimen　　　meitian jian Zhangan ma?

       あなたたち　毎日　　　見る　張三　　　か

'あなたがたは、毎日、張三を見ますか？'

你们每天见张三吗？

你們每天見張三嗎？

g.　Tamen meitian jian Zhangan.

彼女ら　毎日　　見る　張三

'彼女らは、毎日、張三を見ます。'

她们每天见张三。

她們每天見張三。

h.　Tamen meitian jian Zhangan.

彼ら　　毎日　　見る　張三

'彼らは、毎日、張三を見ます。'

他们每天见张三。

他們每天見張三。

上の例で明らかなように、英語だけが、3人称単数現在の動詞を使用する際に、Sという特殊な要素を付けています。

　これまで述べてきたことは、以下の表にまとめることができます。

(25)　日本語・中国語・英語の特徴

言語	語順：SOV	「の」主語	話題の「は」	主語と動詞の一致
日本語	✓	✓	✓	*
中国語	*	?	*	*
英語	*	*	*	✓

（？＝不安定）

(25) は、日本語と中国語との違いは、語順と助詞の「の」と「は」であり、日本語と英語との違いは、語順、助詞の「の」と「は」、そして、主語と動詞の一致であることを示しています。以下の章では、これらの要素を使って、中国内部の少数民族の言語の特徴を見ていきます。

　以下、一点注意していただきたいことがあります。中国政府によって規定された中国内部に暮らす少数民族のいくつかは、中国外部においては、その民族を中心とした国家を形成している場合があります。例えば、モンゴル族は、モンゴル国（人口約300万人）、カザフ族は、カザフスタン共和国（人口約2000万人）というように。この場合、人口の観点からは、決して少数ではありませんが、本書では、中国内部に存在している民族の言語に焦点を当てていることから、これらも、少数民族の言語として提示していきます。

2章　中国少数民族とその言語

言いたいこと：**日本語のそっくりさん、そんなに？**

　中国政府は、国民の大部分（約90％）を占める漢民族以外の民族を、少数民族と規定し、少数民族政策を取っています。この政策においては、中国国民は、漢民族と55の少数民族とに区分されます。各少数民族は、その居住地区において、一定の民族ごとの権利が与えられています。以下に、その55の民族と、その民族が使用していると考えられている言語を表にして示します。以下の対応は、中国政府公式ホームページ：中国语言文字概（http://www.gov.cn/guoqing/2017-11/22/content_5241528.htm）と、その内容と齟齬がない日本語のソース（https://ja.wikipedia.org/wiki/中国の少数民族）を参考にしています。

　（1）　中国少数民族とその言語

	民　族	言　語
1	アチャン族（阿昌族）	阿昌語
2	イ族（彝族）	イ語
3	ウイグル族（維吾爾族）	ウイグル語
4	ウズベク族（烏孜別克族）	ウズベク語
5	エヴェンキ族（鄂温克族、オウンク族）	エヴェンキ語

6	オロチョン族（鄂倫春族）	オロチョン語
7	回族（ホウェイ族、フェイ族）	中国語
8	カザフ族（哈薩克族、ハザク族）	カザフ語
9	キルギス族（柯爾克孜族、クルグズ族）	キルギス語
10	高山族（カオシャン族）	高山語（パイワン語、タイヤル語、ツォウ語）
11	コーラオ族（仡佬族）	コーラオ語
12	サラール族（撒拉族）	サラール語、チベット語、中国語
13	ジーヌオ族（基諾族）	ジーヌオ語
14	シェ族（畬族）	シェ語
15	シベ族（錫伯族、シベ族）	シベ語
16	ジン族（京族、越族、ベトナム族）	ジン語
17	スイ族（水族）	スイ語
18	タジク族（塔吉克族）	サリコル語、ワハン語
19	タタール族（塔塔爾族）	タタール語
20	タイ族（傣族、ダイ族）	傣仂、傣那（德宏傣）、傣�、傣绷、傣端、傣雅、傣友
21	ダウール族（達斡爾族）	ダウール語
22	チベット族（蔵族）	チベット語
23	チャン族（羌族）	チャン語
24	朝鮮族	朝鮮語
25	チワン族（壮族）	チワン語
26	チンポー族（景頗族）	チンポー語
27	トゥ族（土族）	トウ語
28	トゥチャ族（土家族）	トウチャ語

29	トーアン族（徳昂族、旧称パラウン族）	トーアン語
30	トーロン族（独龍族）	トーロン語
31	ドンシャン族（東郷族）	ドンシャン語
32	トン族（侗族）	トン語
33	ナシ族（納西族）	ナシ語
34	ヌー族（怒族）	ヌー語
35	ハニ族（哈尼族）	ハニ語
36	バオアン族（保安族）	バオアン語
37	プーラン族（布朗族）	プーラン語
38	プイ族（布依族）	プイ語
39	プミ族（普米族）	プミ語
40	ペー族（白族）	ペー語
41	ホジェン族（赫哲族、ホーチォ族）	ホジエン語
42	マオナン族（毛南族）	マオナン語
43	満州族（満族）	満州語
44	ミャオ族（苗族）	ミヤオ語
45	ムーラオ族（仏佬族）	ムーラオ語
46	メンパ族（門巴族）	メンパ語
47	モンゴル族（蒙古族）	モンゴル語
48	ヤオ族（瑶族）	ヤオ語
49	ユグル族（裕固族）	西部裕固語、東部裕固語、中国語
50	ラフ族（拉祜族）	ラフ語
51	リー族（黎族）	リー語
52	リス族（傈僳族）	リス語
53	ローバ族（珞巴族）	崩尼-博嘎尔語、义都語、苏龙語、崩如語、チベット語

54	オロス族（俄羅斯族、ロシア族）	オロス語、中国語
55	ワ族（佤族）	佤語

さて、この 55 の少数民族の言語を、動詞の位置によって、VSO、SVO、SOV の 3 種類に区別すると、以下のようになります。

（2）　VSO/VOS タイプ：1 言語

	民　　族	言　　語
1	高山族（カオシャン族）	高山語（パイワン語、タイヤル語、ツォウ語）

（3）　SVO タイプ：19 言語

	民　　族	言　　語
1	回族（ホウェイ族、フェイ族）	中国語
2	コーラオ族（仡佬族）	コーラオ語
3	シェ族（畲族）	シェ語
4	ジン族（京族、越族、ベトナム族）	ジン語
5	スイ族（水族）	スイ語
6	タイ族（傣族、ダイ族）	傣仂、傣那（徳宏傣）、傣儋、傣绷、傣端、傣雅、傣友
7	チワン族（壮族）	チワン語
8	トーアン族（徳昂族、旧称パラウン族）	トーアン語
9	トン族（侗族）	トン語
10	プーラン族（布朗族）	プーラン語
11	プイ族（布依族）	プイ語
12	ペー族（白族）	ペー語
13	マオナン族（毛南族）	マオナン語

14	ミャオ族（苗族）	ミヤオ語
15	ムーラオ族（仏佬族）	ムーラオ語
16	ヤオ族（瑶族）	ヤオ語
17	リー族（黎族）	リー語
18	オロス族（俄羅斯族、ロシア族）	オロス語、中国語
19	ワ族（佤族）	佤语

(4)　SOV タイプ：35 言語

	民　族	言　語
1	アチャン族（阿昌族）	阿昌語
2	イ族（彝族）	イ語
3	ウイグル族（維吾爾族）	ウイグル語
4	ウズベク族（烏孜別克族）	ウズベク語
5	エヴェンキ族（鄂温克族、オウンク族）	エヴェンキ語
6	オロチョン族（鄂倫春族）	オロチョン語
7	カザフ族（哈薩克族、ハザク族）	カザフ語
8	キルギス族（柯爾克孜族、クルグズ族）	キルギス語
9	サラール族（撒拉族）	サラール語、チベット語、中国語
10	ジーヌオ族（基諾族）	ジーヌオ語
11	シベ族（錫伯族、シベ族）	シベ語
12	タジク族（塔吉克族）	サリコル語、ワハン語
13	タタール族（塔塔爾族）	タタール語
14	ダウール族（達斡爾族）	ダウール語
15	チベット族（蔵族）	チベット語

16	チャン族（羌族）	チャン語
17	朝鮮族	朝鮮語
18	チンポー族（景頗族）	チンポー語
19	トゥ族（土族）	トウ語
20	トゥチャ族（土家族）	トウチャ語
21	トーロン族（独龍族）	トーロン語
22	ドンシャン族（東郷族）	ドンシャン語
23	ナシ族（納西族）	ナシ語
24	ヌー族（怒族）	ヌー語
25	ハニ族（哈尼族）	ハニ語
26	バオアン族（保安族）	バオアン語
27	プミ族（普米族）	プミ語
28	ホジェン族（赫哲族、ホーチォ族）	ホジエン語
29	満州族（満族）	満州語
30	メンパ族（門巴族）	メンパ語
31	モンゴル族（蒙古族）	モンゴル語
32	ユグル族（裕固族）	西部裕固語、東部裕固語、中国語
33	ラフ族（拉祜族）	ラフ語
34	リス族（傈僳族）	リス語
35	ローバ族（珞巴族）	崩尼-博嘎尔語、义都語、苏龙語、崩如語、チベット語

　驚くべきことに、日本語と同じSOVタイプの言語が、55言語中35言語もあります。中国の中に、日本語のそっくりさん、そんなに？　もはや、日本です。本書では、これらの35のSOV言語の中から、実際に母語話者から言語データを得ることができた10言語と、SVO言語であるのに、なぜか部分的に日本語のような性質をもつ1言語に絞って、提示してい

きます。それらの言語は、以下に示されます。

(5)　本書で扱う中国少数民族の言語：11 言語

	言　語	語順
1	ウイグル語	SOV
2	ウズベク語	SOV
3	カザフ語	SOV
4	シベ語	SOV
5	チベット語	SOV
6	朝鮮語	SOV
7	土家語	SOV
8	ナシ語	SOV
9	満州語	SOV
10	モンゴル語	SOV
11	プイ語	SVO

(5) において、一点注意することがあります。本書では、朝鮮語の例として、吉林省で話されている延辺語を扱います。以下、一貫して、延辺語として提示します。

　さあ、今から、中国少数民族の諸言語を見ていきます。でも、ちょっとその前に、日本語とは系統が全く違う言語であるのに、日本語の味わいをもつ言語を見ておきたいと思います。それは、インド・ヨーロッパ語のウルドゥ語とベンガル語です。それぞれ、パキスタンとバングラデシュで使用されている言語です。なぜこれらの言語を見るのか？それは、本書のサブタイトルにあるように、本書のねらいは、中国の中の「日本語」を調査することですが、実は、中国の外にも、「日本語」の香りを放つ言語があり、中国の外にある言語も、すでに日本語となんらかのつながりがあったかもしれないことを感じていただきたいからです。二つのインド・ヨーロッパ語を概観した後に、いよいよ、中国少数民族の言語の調査に取りか

かります。本書の最後には、ネイティブアメリカンの言語の一つ「ナバホ語」と中国漢民族の言語「中国語」も概観し、『これでも言語学』の旅を締めくくろうと思います。

③章 ウルドゥ語

言いたいこと：**インド・ヨーロッパ語なのに、日本語の風情。**

　ウルドゥ語は、パキスタンの国語で、インド・ヨーロッパ語族に分類される言語です。インド・ヨーロッパ語族の中のインド・イラン語派に属しています。英語も、インド・ヨーロッパ語族に分類されます。ウルドゥ語は、少しおもしろい性質をもっていて、インド・ヨーロッパ語なのに、日本語の風情を持っています。どんな風情か見る前に、ウルドゥ語の特徴を一つ見ておきます。本章のウルドゥ語の例は、すべて、ウルドゥ語母語話者でパキスタンの首都イスラマバードにある Islamabad College for Boys G-6/3 の Amanullah Bhutt 氏に提供していただきました。

　世界の言語には、格の体系から見た時に、大きく二つの種類があります。一つは、日本語のような対格言語、もう一つが、ウルドゥ語のような能格言語です。対格言語においては、自動詞の主語と他動詞の主語には、同じ「が」のような助詞が付くか、全く何も付かないかのどちらかです。日本語では、自動詞でも他動詞でも、主語には、「が」が付きます。(1)と (2) を見てください。

　　(1)　たけしが泳いだ。

　　(2)　たけしがきよしを褒めた。

ですから、日本語は、対格言語の一つです。アイルランド語では、自動詞でも他動詞でも、主語に、何も付きません。

(3)　Shnámh Seán.

　　　泳いだ　ショーン

　　　‘ショーンが泳いだ。’

(4)　Mhol　Seán　　Máire.

　　　褒めた　ショーン　モーィレ

　　　‘ショーンがモーィレを褒めた。’

ですから、アイルランド語も、対格言語の一つです。

　それに対して、ウルドゥ語は、ちょっと違います。以下で見るように、ウルドゥ語では、他動詞の主語があれば、能格を示す助詞 -ne が付きますが、自動詞の主語と他動詞の目的語には、何も付きません。つまり、他動詞の主語は特別で、自動詞の主語と他動詞の目的語は、同じように振る舞うというわけです。(5) は、自動詞の例、(6) は、他動詞の例です。以下では、-Erg（ergative＝「能格」の略）は、能格の助詞であることを示します。

(5)　John　yahan ponhcha.

　　　ジョン　ここに　着いた

　　　‘ジョンがここに着いた。’

(6)　John-ne　　kitab khareedi.

　　　ジョン-Erg　本　　買った

　　　‘ジョンが本を買った。’

他動詞の主語には、能格助詞が付かなければいけませんが、もし自動詞の主語にそれが付いたら、文は、(7) で示すように、非文となります。

(7) *John-ne　　yahan　ponhcha.

　　ジョン-Erg　ここに　着いた

　　'ジョンがここに着いた。'

　では、ウルドゥ語が能格言語であることが分かったところで、4つの性質を見ていきます。分かりやすいように、語順、主語と動詞の一致、「の」主語、そして、話題の「は」の順に見ていきます。

　まず、語順は、すでに (6) で見たように、SOV です。

(6) John-ne　　　kitab　khareedi.

　　ジョン-Erg　本　　買った

　　'ジョンが本を買った。'

(6) のような単文では、全く日本語と同じ語順になっています。ところが、埋め込み文を持つ文では、次のような語順になります。

(8) Hasan-ne　　kahaa　[keh John-ne　kitab　khareedi].

　　ハサン-Erg　言った　[と　ジョン　本　　買った]

　　'ハサンが、ジョンが本を買ったと言った。'

(8) の語順は、主文がまるで英語のように、SVO（ハサンが-言った-[…]）で、埋め込み文が、日本語のように SOV（ジョンが-本を-買った）となっています。さらにおもしろいことは、埋め込み文を導入する *keh*「と」が、英語同様に、埋め込み文の先頭に来ていることです。まるで、英語と日本語のミックスのような状況です。

　次に、主語と動詞の一致があるかどうか見てみましょう。以下の例を見てください。以下では、F＝女性、M＝男性、Sg＝単数、Pl＝複数、Q＝疑問を表します。

(9) ウルドゥ語

    a. Main John-ko   rozana <u>dekhti-hun.</u>

       私.F ジョン-に 毎日   会う.3.Sg.F

       '私は、毎日ジョンに会います。'

    b. Main John-ko   rozana <u>dekhta-hun.</u>

       私.M ジョン-に 毎日   会う.3.Sg.M

       '私は、毎日ジョンに会います。'

    c. Kya aap   John-ko   rozana <u>dekhti-ho?</u>

       Q   あなた.Sg.F ジョン-に 毎日   会う.3.Sg.F

       'あなたは、毎日ジョンに会いますか？'

    d. Kya aap   John-ko   rozana <u>dekhte-ho?</u>

       Q   あなた.Sg.M ジョン-に 毎日   会う.3.Sg.M

       'あなたは、毎日ジョンに会いますか？'

    e. Woh John-ko   rozana <u>dekhti-hai.</u>

       彼女 ジョン-に 毎日   会う.3.Sg.F

       '彼女は、毎日ジョンに会います。'

    f. Woh John-ko   rozana <u>dekhta-hai.</u>

       彼   ジョン-に 毎日   会う.3.Sg.M

       '彼は、毎日ジョンに会います。'

    g. Hum   John-ko   rozana <u>dekhte-hain.</u>

       私たち ジョン-に 毎日   会う.3.Pl

       '私たちは、毎日ジョンに会います。'

    h. Kya aap   John-ko   rozana <u>dekhti-ho?</u>

       Q   あなた.Pl.F ジョン-に 毎日   会う.3.Pl.F

       'あなたがたは、毎日ジョンに会いますか？'

    i. Kya aap   John-ko   rozana <u>dekhte-ho?</u>

       Q   あなた.Pl.M ジョン-に 毎日   会う.3.Pl.M

       'あなたがたは、毎日ジョンに会いますか？'

j. Woh　John-ko　rozana　<u>dekhti-hain</u>.

　　彼ら.F　ジョン-に　毎日　　会う.3.Pl.F

　　'彼女らは、毎日ジョンに会います。'

k. Woh　　John-ko　rozana　<u>dekhta-hain</u>.

　　彼ら.M　ジョン-に　毎日　　会う.3.Pl.F

　　'彼らは、毎日ジョンに会います。'

　最も普通に聞こえる文になるように、主語が2人称の時は、疑問文にし、その他の文は、すべて平叙文にしてあります。以上の例から明らかなように、ウルドゥ語では、主語と動詞の一致が、極めてはっきり、しっかりしています。英語においては、もはや3人称単数現在の時しか、動詞にSが付きませんが、ウルドゥ語においては、主語の人称、性別、単数か複数かによって、動詞の形が変わってきます。

　実は、他のインド・ヨーロッパ語においても、主語と動詞の一致は、かなりはっきりしています。フランス語、ドイツ語、アイルランド語の例を見てみましょう。まずは、フランス語から。直説法現在の例を見ます。

(10)　フランス語（直説法現在）

a. Je <u>vois</u> Théo tous les jours.

　　私　見る　テオ　毎日

　　'私は、毎日テオを見ます。'

b. Tu　　<u>vois</u> Théo tous les jours?

　　あなた　見る　テオ　毎日

　　'あなたは、毎日テオを見ますか？'

c. Elle <u>voit</u> Théo tous les jours.

　　彼女　見る　テオ　毎日

　　'彼女は、毎日テオを見ます。'

d. Il <u>voit</u> Théo tous les jours.

　　彼　見る　テオ　毎日

‘彼は、毎日テオを見ます。’

e. Nous voyons Théo tous les jours.

私たち 見る テオ 毎日

‘私たちは、毎日テオを見ます。’

f. Vous voyez Théo tous les jours?

あなたたち 見る テオ 毎日

‘あなた方は、毎日テオを見ますか？’

g. Elles voient Théo tous les jours.

彼女ら 見る テオ 毎日

‘彼女らは、毎日テオを見ます。’

h. Ils voient Théo tous les jours.

彼ら 見る テオ 毎日

‘彼らは、毎日テオを見ます。’

フランス語は、インド・ヨーロッパ語族の中のイタリック語派の一つです。明らかに、主語と動詞の間に一致があります。

続いて、ドイツ語を見てみましょう。

(11) ドイツ語

a. Ich sehe Johannes jeden Tag.

私 見る ヨハネス 毎日

‘私は、毎日ヨハネスを見ます。’

b. Siehst du Johannes jeden Tag?

見る あなた ヨハネス 毎日

‘あなたは、毎日ヨハネスを見ますか？’

c. Sie sieht Johannes jeden Tag.

彼女 見る ヨハネス 毎日

‘彼女は、毎日ヨハネスを見ます。’

　d.　Er　<u>sieht</u>　Johannes　jeden Tag.

　　　彼　見る　　ヨハネス　毎日

　　　'彼は、毎日ヨハネスを見ます。'

　e.　Es　　<u>sieht</u>　Johannes　jeden Tag.

　　　それ　見る　　ヨハネス　毎日

　　　'それは、毎日ヨハネスを見ます。'

　f.　Wir　<u>sehen</u>　Johannes　jeden Tag.

　　　私たち　見る　　ヨハネス　毎日

　　　'私たちは、毎日ヨハネスを見ます。'

　g.　<u>Seht</u>　ihr　　　　Johannes　jeden Tag?

　　　見る　あなたたち　ヨハネス　毎日

　　　'あなた方は、毎日ヨハネスを見ますか？'

　h.　Sie　　　　　　　　<u>sehen</u>　Johannes　jeden Tag.

　　　彼女ら・彼ら・それら　見る　　ヨハネス　毎日

　　　'彼女ら・彼ら・それらは、毎日ヨハネスを見ます。'

　ドイツ語は、インド・ヨーロッパ語族の中のゲルマン語派の一つです。ドイツ語も、フランス語同様、主語と動詞の間に一致があります。

　最後に、アイルランド語を見てみましょう。

(12)　アイルランド語

　a.　<u>Feicim</u>　Seán　　gach lá.

　　　見る.私　ショーン　毎日

　　　'私は、毎日ショーンを見ます。'

　b.　An <u>bhfeiceann</u> tú　　　Seán　　gach lá?

　　　Q　見る　　　　あなた　ショーン　毎日

　　　'あなたは、毎日ショーンを見ますか？'

　c.　<u>Feiceann</u>　sí　Seán　　gach lá.

　　　見る　　　彼女　ショーン　毎日

　　　'彼女は、毎日ショーンを見ます。'

　　d.　<u>Feiceann</u> sé Seán 　　gach lá.

　　　　見る　　彼 ショーン 毎日

　　　　'彼は、毎日ショーンを見ます。'

　　e.　<u>Feicimid</u>　　Seán　　gach lá.

　　　　見る. 私たち ショーン 毎日

　　　　'私たちは、毎日ショーンを見ます。'

　　f.　An <u>bhfeiceann</u> sibh 　　Seán 　　gach lá?

　　　　Q 　見る　　　あなたたち ショーン 毎日

　　　　'あなた方は、毎日ショーンを見ますか？'

　　g.　<u>Feiceann</u> siad 　　　　Seán 　　gach lá.

　　　　見る　　彼女ら・彼ら ショーン 毎日

　　　　'彼女ら・彼らは、毎日ショーンを見ます。'

　アイルランド語は、インド・ヨーロッパ語族の中のケルト語派の一つです。アイルランド語は、主語が1人称の時に、主語自体と動詞が融合するという性質を持っています。主語が1人称の場合、動詞部分は、*feici* に見え、それ以外の場合は、*feiceann* であるため、やはり、主語と動詞の間に、一致があると言えそうです。アイルランド語もインド・ヨーロッパ語の一つですから、この主語と動詞の一致の性質を確実に受け継いでいるようです。

　次に、ウルドゥ語には、「の」主語が存在するかどうか見てみましょう。まずは、名詞と名詞の間に「の」が現れる例を見ておきましょう。

(13) a.　Mary-ki 　　　　beti

　　　　メアリーの.F.Sg 娘.F.Sg

　　　　'メアリーの娘'

　　b.　Mary-ka 　　　　beta

　　　　メアリーの.M.Sg 息子.M.Sg

'メアリーの息子'

  c. Mary-ki   betiyan

       メアリーの.F.Pl　娘.F.Pl

       'メアリーの娘たち'

  d. Mary-ke   bete

       メアリーの.M.Pl　息子.M.Pl

       'メアリーの息子たち'

ウルドゥ語では、名詞-の-名詞という構造がある時、2番目の名詞が女性であるか男性であるか、一人なのか複数なのかによって、前の名詞に付いている「の」が、*ki*（女性・単数/複数）、*ka*（男性・単数）、*ke*（男性・複数）という具合に変わります。これは、最初の名詞の性別と関係ありません。ともかく、名詞-の-名詞という構造があり、「の」は、*ki/ka/ke* です。

　では、文の中に「の」主語が現れるかどうか見てみましょう。「ジョンが買った本」のように、「本」という名詞を修飾する文「ジョンが買った」を関係節と言いますが、ウルドゥ語では、関係節は、名詞の後ろに現れることもできるし、また、名詞の前に現れることもできます。まず、(14)を見てください。

(14)　Jo　kitab [John-ne　　kal　khareedi] buhut dilchasp　　hai.
　　　その 本　［ジョン-Erg 昨日 買った］　とても おもしろい です
　　　'ジョンが昨日買った本は、とてもおもしろいです。'

(14) では、*kitab*「本」が先に来て、その後ろに、それを修飾する関係節「ジョンが昨日買った」が続きます。これは、(15) で見るように、英語と同じ語順になっています。

(15)　The book [John　bought yesterday] is　　very　　interesting.
　　　その 本　ジョン 買った 昨日　　　です とても　おもしろい
　　　'ジョンが昨日買った本は、とてもおもしろいです。'

次に、(16) を見てください。

(16) [Kal John-ki　　khareedi-hui]　kitab buhut dilchasp　　hai.
　　　[昨日 ジョン-の 買った-連体形] 本　　とても おもしろい です
　　　'昨日ジョンの買った本は、とてもおもしろいです。'
　　　='ジョンが昨日買った本は、とてもおもしろいです。'

(16) では、*kitab*「本」を修飾する関係節「昨日ジョンの買った」が先に来て、その後ろに、*kitab*「本」が続きます。これは、日本語と同じ語順です。さらに、*kitab*「本」の直前にある動詞は、名詞に続く形である連体形を取っています。そして、関係節内の主語は、*John-ki*「ジョン-の」となっています。そうです。「の」主語が可能なのです。

ついでながら、関係節の中の主語「ジョン」を、(17) のように、*John-ne*「ジョン-Erg」という具合に、能格を付けた形にすると、その文は、ウルドゥ語としては、全く誤った文になります。

(17) *[Kal John-ne　　khareedi-hui]　kitab buhut dilchasp　　hai.
　　　[昨日 ジョン-Erg 買った-連体形] 本　　とても おもしろい です
　　　'昨日ジョンが買った本は、とてもおもしろいです。'

同じように、(14) の文を、(18) のように、*John-ki*「ジョン-の」とすると、その文は、ウルドゥ語としては、全く誤った文になります。

(18) *Jo　　kitab [John-ki　　kal　khareedi] buhut dilchasp　　hai.
　　　その 本　　[ジョン-の 昨日 買った]　とても おもしろい です
　　　'ジョンの昨日買った本は、とてもおもしろいです。'

つまり、ウルドゥ語においては、「の」主語が出現できるのは、2種類の関係節の内、日本語タイプの関係節においてのみであることが分かります。

その他、関係節ではない環境でも、「の」主語が出現することができます。例えば、「まで」節です。

(19) [Mary-ke   ghar wapis aane tak] John apne dafter
[Mary-の.Ntr 家に 帰る   まで] ジョン 自分の オフィス
main tha.
に いた。
'メアリーの帰宅するまで、ジョンが自分のオフィスにいた。'

(19) の日本語訳が示すように、日本語でも、「の」主語が、「まで」節の中で可能です。

最後に、ウルドゥ語には、話題の「は」が存在するかどうか見てみましょう。まず、(20) の例を見てください。

(20) John-ne   kal   yeh kitab khareedi.
ジョン-Erg 昨日 この 本   買った
'ジョンが、昨日、この本を買った。'

kitab「本」に *yeh*「この」を付け、特定の本であることを強調しています。次に、*yeh kitab*「この本」を文頭に出してみます。

(21) Yeh kitab, John-ne   kal khareedi.
この 本   ジョン-Erg 昨日 買った
'この本を、ジョンが、昨日買った。'

(21) においては、*yeh kitab*「この本」の後ろ、あるいは、前に、日本語の話題の「は」に相当する助詞のようなものは、一切現れません。しかしながら、*yeh kitab*「この本」の後ろに、カンマ（,）を置くか、あるいは、ポーズを置けば、*yeh kitab*「この本」は、日本語と同じように、その文が出現する前の文脈で、「この本」が話題であったと解釈されます。ですから、(21) のより正確な意味は、(22) のようになります。

(22) Yeh kitab, John-ne   kal khareedi.
この 本   ジョン-Erg 昨日 買った

'この本は、ジョンが、昨日買った。'

　そうすると、ウルドゥ語は、インド・ヨーロッパ語であるにもかかわらず、日本語に特有な特徴を二つ持っていることが分かります。それは、SOV の語順と「の」主語です。（埋め込み文を含む文では、英語のように SVO 語順となりますが、本書では、単文において、SOV が可能であれば、SOV 語順が可能であると言うこととします。）一方、話題の「は」に相当する助詞はありませんでした。これを、これまでわかっている事実とともに、表にまとめてみましょう。

　(23)　各言語の特徴

言語	語順：SOV	「の」主語	話題の「は」	主語と動詞の一致
日本語	✓	✓	✓	*
中国語	*	?	*	*
英語	*	*	*	✓
ウルドゥ語	✓	✓	*	✓

このことから、ウルドゥ語は、英語と同じインド・ヨーロッパ語でありながら、日本語の風情を持っていると言えます。

4章 ベンガル語

言いたいこと：**インド・ヨーロッパ語なのに、日本語の情緒。**

　ベンガル語は、バングラデシュの国語で、ウルドゥ語とともに、イン
ド・ヨーロッパ語族に分類される言語です。インド・ヨーロッパ語族の中
のインド・イラン語派に属しています。ベンガル語も、ウルドゥ語同様、
インド・ヨーロッパ語なのに、日本語の情緒を持っています。本章のベン
ガル語の例は、すべて、ベンガル語母語話者で、ダッカ大学言語学部の
Sikder Monoare Murshed 氏に提供していただきました。

　ベンガル語は、ウルドゥ語と違って、対格言語です。したがって、次の
ようなことがありません。つまり、他動詞の主語は特別で、自動詞の主語
と他動詞の目的語が、同じように振る舞うということです。(1) は、自動
詞の例、(2) は、他動詞の例です。

(1)　Monir 　　ekhane　pouche-che.
　　　モニール　ここに　着い–た
　　　'モニールがここに着いた。'

(2)　Monir 　　gotokal　boi-ti 　　pore-silo.
　　　モニール　昨日　　本–その　読ん–だ
　　　'モニールが、昨日、その本を読んだ。'

ベンガル語では、自動詞でも他動詞でも、主語 *Monir* には、助詞が付きません。また、目的語 *boi-ti*‘その本’にも、助詞が付きません。日本語と異なる点は、「その」が、名詞「本」の後ろに置かれるということです。ただし、目的語に人物名が来る場合は、（3）に示すように、対格を示す助詞 *-ke* が付けられます。

(3) Se　　Monir-<u>ke</u>　　balobashe.
　　彼女　モニール-を　愛している
　　‘彼女は、モニールを愛しています。’

　では、ベンガル語が対格言語であることが分かったところで、4 つの性質を見ていきます。分かりやすいように、語順、主語と動詞の一致、「の」主語、そして、話題の「は」の順に見ていきます。
　まず、語順は、すでに（2）で見たように、SOV です。

(2) Monir　　gotokal boi-ti　　pore-silo.
　　モニール　昨日　　本-その　読ん-だ
　　‘モニールが、昨日、その本を読んだ。’

（2）のような単文では、全く日本語と同じ語順になっています。ただし、埋め込み文を持つ文では、次のような語順になります。

(4) Monir　　mone kire [je she　tader　proshongsha koreche].
　　モニール 思っている [と 彼女　彼ら　褒めた]
　　‘モニールが、彼女が彼らを褒めたと思っている。’

（4）の語順は、主文がまるで英語のように、SVO（モニールが-思っている-[…]）で、埋め込み文が、日本語のように SOV（彼女が-彼らを-褒めた）となっています。さらにおもしろいことは、埋め込み文を導入する *je*「と」が、やはり、英語のように埋め込み文の先頭に来ていることです。まるで、英語と日本語のミックスのような状況です。

　次に、主語と動詞の一致があるかどうか見てみましょう。以下の例を見てください。

(5)　ベンガル語

　　a.　Ami Monir-ke　　balobashi.
　　　　私　モニール-を　愛している.1.Sg
　　　　'私は、モニールを愛しています。'

　　b.　Tumi　ki Monir-ke　　bhalobasho?
　　　　あなた　Q　モニール-を　愛している.2.Sg
　　　　'あなたは、モニールを愛していますか？'

　　c.　Se　　Monir-ke　　balobashe.
　　　　彼女　モニール-を　愛している.3.Sg
　　　　'彼女は、モニールを愛しています。'

　　d.　Se Monir-ke　　balobashe.
　　　　彼　モニール-を　愛している.3.Sg
　　　　'彼は、モニールを愛しています。'

　　e.　Amra　　Monir-ke　　balobashi.
　　　　私たち　モニール-を　愛している.1.Pl
　　　　'私たちは、モニールを愛しています。'

　　f.　Tomra　　ki Monir-ke　　bhalobasho?
　　　　あなたたち　Q　モニール-を　愛している.2.Pl
　　　　'あなた方は、モニールを愛していますか？'

　　g.　Tara　Monir-ke　　balobashe.
　　　　彼女ら　モニール-を　愛している.2.Pl
　　　　'彼女らは、モニールを愛しています。'

　　h.　Tara　Monir-ke　　balobashe.
　　　　彼ら　モニール-を　愛している.3.Pl
　　　　'彼らは、モニールを愛しています。'

最も普通に聞こえる文になるように、主語が2人称の時は、疑問文にし、その他の文は、すべて平叙文にしてあります。以上の例から明らかなように、ベンガル語では、ウルドゥ語同様、主語と動詞の一致が、極めてはっきり、しっかりしており、主語の人称、単数か複数かによって、動詞の形が変わってきます。

　続いて、ベンガル語には、「の」主語が存在するかどうか見てみましょう。まずは、名詞と名詞の間に「の」が現れる例を見ておきましょう。

(6) a. Monir-er　　　konna
　　　モニール-の　娘.Sg
　　　'モニールの娘'

　　b. Monir-er　　　puttra
　　　モニール-の　息子.Sg
　　　'モニールの息子'

　　c. Monir-er　　　konna-ra
　　　モニール-の　娘-Pl
　　　'モニールの娘たち'

　　d. Monir-er　　　puttra-ra
　　　モニール-の　息子-Pl
　　　'モニールの息子たち'

ベンガル語では、名詞-の-名詞という構造がある時、2番目の名詞の性別や単数・複数の区別によって、前の名詞に付いている「の」=「er」は、変化せず、そのままの形です。これは、ウルドゥ語と異なる点です。

　では、文の中に「の」主語が現れるかどうか見てみましょう。「モニールが読んだ本」のように、「本」という名詞を修飾する関係節は、ベンガル語でも、ウルドゥ語と同じように、名詞の後ろに現れることもできるし、また、名詞の前に現れることもできます。まず、(7) を見てください。

(7)　Eta　shei　boi　[jeta　Monir　　gotokal　pore-silo].
　　これ　その　本　[それ　モニール　昨日　　読ん-だ]
　　‘これは、モニールが昨日読んだ本です。’

(7) では、boi「本」が先に来て、その後ろに、それを修飾する関係節「モニールが昨日読んだ」が続きます。これは、英語と同じ語順です。

(8)　This　is　　the　book　[John　read　　yesterday].
　　これ　です　その　本　　[ジョン　読んだ　昨日]
　　‘これは、ジョンが昨日読んだ本です。’

次に、(9) を見てください。

(9)　[Gotokal　Monir-er　　por-a]　　　　　boi-ti　khub
　　[昨日　　モニール-の　読ん-だ（連体形）] 本-その　とても
　　mojar.
　　おもしろい
　　‘昨日モニールの読んだ本は、とてもおもしろい。’

(9) では、boi「本」を修飾する関係節「昨日モニールの読んだ」が先に来て、その後ろに、boi「本」が続きます。これは、日本語と同じ語順です。さらに、boi「本」の直前にある動詞は、連体形を取っています。

　ついでながら、(9) の関係節の中の Monir-er「モニール-の」を、(10) のように、Monir「モニールが」とすると、その文は、ベンガル語としては、全く誤った文になります。

(10)　*[Gotokal　Monir　por-a]　　　　　　boi-ti　khub
　　[昨日　　モニール　読ん-だ（連体形）] 本-その　とても
　　mojar.
　　おもしろい
　　‘昨日モニールが読んだ本は、とてもおもしろい。’

同じように、(7) の文を、(11) のように、*Monir-er*「モニール-の」とすると、その文は、ベンガル語としては、全く誤った文になります。

(11) *Eta shei boi [jeta Monir-er gotokal pore-silo].
　　これ　その　本　[それ　モニール-の　昨日　　読ん-だ (終止形)]
　　‘これは、モニールが昨日読んだ本です。’

ところが、(11) を (12) に変えると、ベンガル語としては、正しい文になります。

(12) Eta shei boi [jeta Monir-er gotokal por-a].
　　これ　その　本　[それ　モニール-の　昨日　　読ん-だ (連体形)]
　　‘これは、モニールが昨日読んだ本です。’

そうすると、ベンガル語においては、ウルドゥ語とは異なり、「の」主語が出現できるのは、日本語タイプの関係節と英語タイプの関係節の両方であることになります。

　その他、関係節ではない環境でも、「の」主語が出現することができます。例えば、「まで」節です。

(13) [Monir bari na fera porjonto], Hasan tar bari-te
　　[モニール　家　ない　帰る　まで]　　ハサン　自分の　家-に
　　chilo.
　　いた
　　‘モニールが帰宅するまで、ハサンが自分の家にいた。’

(14) [Monir-er bari na fera porjonto], Hasan tar bari-te
　　[モニール-の　家　ない　帰る　まで]　　ハサン　自分の　家-に
　　chilo.
　　いた
　　‘モニールの帰宅するまで、ハサンが自分の家にいた。’

　まとめますと、ベンガル語には、明らかに、日本語と同じように、「の」主語が存在します。ただし、ウルドゥ語と異なり、ベンガル語においては、「の」主語が出現できるのは、日本語タイプの関係節と英語タイプの関係節の両方です。

　最後に、ベンガル語には、話題の「は」が存在するかどうか見てみましょう。まず、(15) の例を見てください。

(15)　Boi-ti,　Monir　gotokal pore-silo.
　　　本‒その　モニール　昨日　　読ん‒だ（終止形）
　　　'その本を、モニールが、昨日読んだ。'

(15) は、(2) の *boi-ti*「その本」を文頭に移動させたものです。おもしろいことに、ウルドゥ語と違って、(12) では、文頭に置かれた *boi-ti*「その本」には、全く、話題の意味がありません。つまり、「その本は」という意味にならず、「その本を」という意味のままです。また、ベンガル語には、話題の「は」に直接対応する助詞も存在しません。したがって、ベンガル語には、話題の「は」が存在しないと結論づけてもよさそうです。

　そうすると、ベンガル語は、ウルドゥ語同様、インド・ヨーロッパ語であるにもかかわらず、日本語に特有な特徴を二つ持っていることが分かります。それは、SOV の語順と「の」主語です。一方、話題の「は」に相当する助詞はありませんでした。これを、これまでわかっている事実とともに、表にまとめてみましょう。

(16)　各言語の特徴

言語	語順：SOV	「の」主語	話題の「は」	主語と動詞の一致
日本語	✓	✓	✓	*
中国語	*	?	*	*
英語	*	*	*	✓
ウルドゥ語	✓	✓	*	✓
ベンガル語	✓	✓	*	✓

このことから、ベンガル語も、英語と同じインド・ヨーロッパ語でありながら、日本語の情緒を持っていると言えます。

5章 モンゴル語

言いたいこと：**ほぼ日本語。**

　モンゴル語は、モンゴル諸語の一つで、モンゴル国や中国の内モンゴル
自治区で話されています。モンゴル語には、大きく、三つの方言があり、
それらは、ハルハ方言、チャハル方言、ホルチン方言です。ハルハ方言
は、主にモンゴル国で話され、チャハル方言は、主に中国の内モンゴル自
治区で話され、ホルチン方言は、主に中国の内モンゴル東北部で話されて
います。以下で見るように、モンゴル語は、もはや、ほとんど日本語と同
じ性質を持っています。本章のモンゴル語の例は、ホルチン方言母語話者
のイリチ氏、ウリグムラ氏、包麗娜氏に提供していただきました。
　モンゴル語は、日本語同様、対格言語です。したがって、次のようなこ
とがありません。つまり、他動詞の主語は特別で、自動詞の主語と他動詞
の目的語が、同じように振る舞うということです。(1) は、自動詞の例、
(2) は、他動詞の例です。

(1)　Öčügedür Ulaγan　　iniye-jei.
　　　昨日　　　　ウラーン　笑っ-た
　　　'昨日ウラーンが笑った。'

(2)　Ulaγan　Baγatur-i　　maγta-jai.
　　　ウラーン　バートル-を　褒め-た

‘ウラーンがバートルを褒めた。’

モンゴル語では、自動詞でも他動詞でも、主語 *Ulaɣan* には、助詞が付きません。また、目的語が *Baɣatur* のように人物名を示す場合には、対格を示す-*i* が付けられます。

では、モンゴル語が対格言語であることが分かったところで、4 つの性質を見ていきます。分かりやすいように、語順、主語と動詞の一致、「の」主語、そして、話題の「は」の順に見ていきます。

まず、語順は、すでに（2）で見たように、SOV です。単文では、全く日本語と同じ語順になっています。埋め込み文を含む文においても、日本語と同じ語順になっています。埋め込み文の最後には、補文化標識の *gejü*「と」が付けられています。

(3) Baɣatur [Ulaɣan　ene　nom-i biči-gsen　　　　gejü]
バートル[ウラーン　この　本-を　書い-た（連体形）と]
boduju bayina.
思って いる（終止形）
‘バートルが、ウラーンがこの本を書いたと思っている。’

次に、主語と動詞の一致があるかどうか見てみましょう。以下の例を見てください。

(4)　モンゴル語

a.　Bi, edürbüri Batu-yi　üje-ne.
私　毎日　　バトゥ-を　見る
‘私は、毎日バトゥを見ます。’

b.　Či,　　edürbüri Batu-yi　üje-ne u?
あなた　毎日　　バトゥ-を　見る　　Q
‘あなたは、毎日バトゥを見ますか？’

c. Tere, edürbüri Batu-yi　üje-ne.
　　彼女　毎日　　　バトゥーを　見る
　　'彼女は、毎日バトゥを見ます。'

d. Tere, edürbüri Batu-yi　üje-ne.
　　彼　　毎日　　　バトゥーを　見る
　　'彼は、毎日バトゥを見ます。'

e. Bide,　edürbüri Batu-yi　üje-ne.
　　私たち　毎日　　　バトゥーを　見る
　　'私たちは、毎日バトゥを見ます。'

f. Tanus,　　edürbüri Batu-yi　üje-ne u?
　　あなたたち　毎日　　　バトゥーを　見る　　Q
　　'あなた方は、毎日バトゥを見ますか？'

g. Tede,　edürbüri Batu-yi　üje-ne.
　　彼女ら　毎日　　　バトゥーを　見る
　　'彼女らは、毎日バトゥを見ます。'

h. Tede, edürbüri Batu-yi　üje-ne.
　　彼ら　毎日　　　バトゥーを　見る
　　'彼らは、毎日バトゥを見ます。'

最も普通に聞こえる文になるように、主語が2人称の時は、疑問文にし、その他の文は、すべて平叙文にしてあります。以上の例から明らかなように、モンゴル語では、ウルドゥ語やベンガル語とは異なり、主語と動詞の一致が見えず、主語の人称、性別、単数か複数かによって、動詞の形が全く変わりません。

　続いて、モンゴル語には、「の」主語が存在するかどうか見てみましょう。まずは、名詞と名詞の間に「の」が現れる例を見ておきましょう。

(5)　Ulaɣan-u　　nom
　　ウラーン-の　本

‘ウラーンの本’

(5) が示す通り、モンゴル語の「の」は、名詞と名詞の間に現れます。

　では、文の中に「の」主語が現れるかどうか見てみましょう。モンゴル語も、日本語同様、「の」主語があります。まず、(6) と (7) の例を見てください。

(6) Ulaɣan　tere　nom-i bici-jei.
　　ウラーン　その　本-を　書い-た（終止形）
　　‘ウラーンがその本を書いた。’

(7) Ulaɣan-u　bici-gsen　　　　nom
　　ウラーン-の　書い-た（連体形）本
　　‘ウラーンの書いた本’

(6) は、「ウラーンがその本を書いた」という単文です。この時、文が、終止形で終わっています。その場合、文は、*jei* という過去を表す「た」の終止形で終わっています。それに対して、(7) は、「の」主語の例です。この場合、文は、名詞 *nom*「本」の前で、*gsen* という過去形を表す「た」の連体形で終わっています。もし、*gsen* の代わりに、*jei* を使うと、(8) のように、全く誤った文になります。

(8) *Ulaɣan-u　bici-jei　　　　nom
　　ウラーン-の　書い-た（終止形）本
　　‘ウラーンの書いた本’

また、主語は、「が」主語も可能です。

(9) Ulaɣan　bici-gsen　　　　nom
　　ウラーン　書い-た（連体形）本
　　‘ウラーンが書いた本’

名詞を修飾する文を関係節と言いますが、関係節の中の主語が、「が」主語でも、「の」主語でもいいという点は、日本語と全く同じです。

　その他、関係節ではない環境でも、「の」主語が出現することができます。例えば、「まで」節です。

(10)　Batu　[boruɣan joɣsu-qu　　　　boltala]　alban ger-tü
　　　バトゥ [雨　　　止-む（連体形）まで]　オフィス-に
　　　bai-jai.
　　　い-た（終止形）
　　　'バトゥが、雨が止むまで、オフィスにいた。'

(11)　Batu　[boruɣan-u joɣsu-qu　　　　boltala]　alban ger-tü
　　　バトゥ [雨-の　　止-む（連体形）まで]　オフィス-に
　　　bai-jai.
　　　い-た（終止形）
　　　'バトゥが、雨の止むまで、オフィスにいた。'

(11) の日本語訳が示すように、日本語でも、「の」主語が、「まで」節の中で可能です。

　続いて、比較節の中にも「の」主語が出現することができます。

(12)　Batu　[Ulaɣan　ungsi-ɣsan-eče]　　　　olan　　nom
　　　バトゥ [ウラーン　読ん-だ（連体形）-より] たくさん　本
　　　ungsi-jai.
　　　読ん-だ（終止形）
　　　'バトゥが、ウラーンが読んだより、たくさん本を読んだ。'

(13)　Batu　[Ulaɣan-u　ungsi-ɣsan-eče]　　　　olan　　nom
　　　バトゥ [ウラーン-の　読ん-だ（連体形）-より] たくさん　本
　　　ungsi-jai.
　　　読ん-だ（終止形）

'バトゥが、ウラーンの読んだより、たくさん本を読んだ.'

(13) の日本語訳が示すように、日本語でも、「の」主語が、比較節の中で可能です。

さらに、目的語がある場合にも、「の」主語が現れることができます。

(14) öčügedür Baɣatur Ulaɣan-i maɣta-ɣsan učir
昨日   バートル ウラーン-を 褒め-た（連体形）こと
'昨日バートルがウラーンを褒めたこと'

(15) öčügedür Baɣatur-un Ulaɣan-i maɣta-ɣsan učir
昨日   バートル-の ウラーン-を 褒め-た（連体形）こと
'昨日バートルのウラーンを褒めたこと'

(15) において、「の」主語の *Baɣatur-un* 'バートル-の' が、「を」目的語の *Ulaɣan-i* 'ウラーン-を' とともに出現しています。おもしろいことに、一部の日本語母語話者にとっては、(15) の日本語に対応する文は、日本語として正しく聞こえないと言われています。もしそうだとすると、モンゴル語の「の」主語の守備範囲は、日本語の「の」主語の守備範囲より、少し広いことになります。

最後に、モンゴル語には、話題の「は」が存在するかどうか見てみましょう。(16) と (17) で明らかなように、モンゴル語には、話題の「は」 *-bol* が存在します。

(16) Ene nom-i-bol, nidunun Ulaɣan biči-jei.
この 本-を-は 去年   ウラーン 書い-た
'この本は、去年、ウラーンが書いた.'

(17) Nidunun Ulaɣan biči-gsen-ni-bol,   ene nom-i.
去年   ウラーン 書い-た（連体形）-PoP.3-は この 本-を
'去年、ウラーンが書いたのは、この本だ.'

（16）では、対格名詞句が話題化されており、その場合、日本語とは少し異なり、対格標識 -i が、あってもなくてもかまいません。日本語においては、「この本は」は、正しい表現ですが、「この本をは」は、言えません。モンゴル語においては、ene nom-i-bol「この本をは」も、ene nom-bol「この本は」も、どちらも可能な表現です。（17）では、強調構文の前提をなす文の最後に、話題の「は」-bol が付けられています。日本語と全く同じです。その -bol は、日本語の「の」に相当する3人称の所有代名詞 -ni に付き、その -ni は、動詞の連体形に付いています。

　さらに、もともと埋め込み文にあったり、関係節にあった名詞句も、話題の「は」-bol を付けて、文頭に置いて、話題となることができます。

（18）　Ene nom-i-bol, [Baɣatur [nidunun Ulaɣan　　t
　　　　この 本-を-は　　[バートル [去年　　　ウラーン
　　　　biči-gsen　　　　　gejü] boduju baina].
　　　　書い-た（連体形）　と]　思って いる（終止形）]
　　　　'この本は、バートルが、去年ウラーンが書いたと思っている。'

（19）　Ene nom-i-bol, [Baɣatur [nidunun Ulaɣan　　t
　　　　この 本-を-は　　[バートル [去年　　　ウラーン
　　　　biči-gsen]　　　　silataɣan-i-ni　mede-ne].
　　　　書い-た（連体形）] 理由-を-PoP3　知って-いる（終止形）]
　　　　'この本は、バートルが、去年ウラーンが書いた理由を知っている。'

（18）と（19）の日本語訳が示すように、日本語でも、もともと埋め込み文にあったり、関係節にあった名詞句も、話題の「は」を付けて、文頭に置いて、話題となることができます。（18）と（19）において、t で示されているのは、もともと、話題となっている名詞句があった場所です。

　ついでながら、名詞句に -bol を付けて、強く読めば、文頭にあっても、

文中にあっても、比較の意味を持ちます。これも、日本語と全く同じです。

(20) <u>Ene nom-i-bol</u>, nidunun Ulaɣan biči-jei.
　　　この 本-を-は　　去年　　ウラーン 書い-た
　　　'(あの本ではなく)この本は、去年、ウラーンが書いた。'

(21) Nidunun Ulaɣan 　<u>ene nom-i-bol</u> biči-jei.
　　　去年　　ウラーンが この 本-を-は　書い-た（終止形）
　　　'去年、ウラーンが、(あの本ではなく)この本は、書いた。'

　上記のことから、モンゴル語は、日本語に特有な特徴を四つすべて持っていることが分かります。それは、SOV の語順、「の」主語、話題の「は」、そして、主語と動詞の一致がないことです。これを、これまでわかっている事実とともに、表にまとめてみましょう。

(22)　各言語の特徴

言語	語順：SOV	「の」主語	話題の「は」	主語と動詞の一致
日本語	✓	✓	✓	*
中国語	*	?	*	*
英語	*	*	*	✓
ウルドゥ語	✓	✓	*	✓
ベンガル語	✓	✓	*	✓
モンゴル語	✓	✓	✓	*

このことから、モンゴル語は、ほぼ日本語と同じだと言うことができそうです。

6章　満州語

言いたいこと：**ほぼ日本語。**

　満州語は、ツングース諸語の一つです。中
国東北部の黒竜江省で話されていました。現
在、満州語を単一の母語とする話者は、存在
していません。しかしながら、100 人ほどは、
満州語と中国語のバイリンガル話者（二つの
言語を母語のように話す人々）で、1,000 人
ほどは、バイリンガル話者ではないものの、
満州語を読み、書き、話し、また、通訳する
ことができます。本章の満州語の例は、すべ
て、その 1,000 人のうちの一人である王碩

王碩（Wang Shuo）氏（満州族）
（王碩氏提供）

（Wang Shuo）氏に提供していただきました。王碩氏は、現在、河北民族
師範学院にて満州語を教えていらっしゃいます。この写真の方です。
　満州語も、以下で見るように、もう、ほとんど日本語と同じ性質を持っ
ています。満州語は、日本語同様、対格言語です。したがって、次のよう
なことがありません。つまり、他動詞の主語は特別で、自動詞の主語と他
動詞の目的語が、同じように振る舞うということです。（1）は、自動詞の
例、（2）は、他動詞の例です。

50

(1) Sikse Jangsan' injebuhe.
　　昨日　張三　　笑った
　　'昨日張三が笑った。'

(2) Jangsan' Liisy'-be saixaha.
　　張三　　　李四-を　褒めた
　　'張三が李四を褒めた。'

満州語では、自動詞でも他動詞でも、主語 *Jangsan'* には、助詞が付きません。また、目的語が *Liisy'* のように人物名を示す場合には、対格を示す *-be* が付けられます。

　では、満州語が対格言語であることが分かったところで、4 つの性質を見ていきます。分かりやすいように、語順、主語と動詞の一致、「の」主語、そして、話題の「は」の順に見ていきます。

　まず、語順は、すでに（2）で見たように、SOV です。単文では、全く日本語と同じ語順になっています。埋め込み文を含む文においても、日本語と同じ語順になっています。埋め込み文の最後には、補文化標識の *seme*「と」が付けられています。

(3) Jangsan' [Liisy'-be tere　bithe-be udaha　seme] gvnimbi.
　　張三　　[李四-を　その　本-を　　買った　と]　思っている
　　'張三が、李四がその本を買ったと思っている。'

ただし、おもしろいことに、埋め込み文の主語には、*-be*「を」が付いています。日本語では、（3）の文自体は、非文ですが、埋め込み文の主語に「を」が付く例は、存在します。日本語では、（4）も（5）も正しい文です。

(4) 太郎は、[花子が　聡明だと] 思っている。

(5) 太郎は、[花子を　聡明だと] 思っている。

　次に、主語と動詞の一致があるかどうか見てみましょう。以下の例を見てください。

(6) a. Bi　inenggidari　Jangsan'-be　<u>acambi</u>.
　　　　私　毎日　　　　　張三-を　　　見る
　　　　'私は、毎日張三を見ます。'

　　 b. Si　　　inenggidari　Jangsan'-be　<u>acambi</u>-o?
　　　　あなた　毎日　　　　張三-を　　　見る-Q
　　　　'あなたは、毎日張三を見ますか？'

　　 c. I　　inenggidari　Jangsan'-be　<u>acambi</u>.
　　　　彼女　毎日　　　　張三-を　　　見る
　　　　'彼女は、毎日張三を見ます。'

　　 d. I　inenggidari　Jangsan'-be　<u>acambi</u>.
　　　　彼　毎日　　　　張三-を　　　見る
　　　　'彼は、毎日張三を見ます。'

　　 e. Be　　　inenggidari　Jangsan'-be　<u>acambi</u>.
　　　　私たち　毎日　　　　張三-を　　　見る
　　　　'私たちは、毎日張三を見ます。'

　　 f. Suwe　　　inenggidari　Jangsan'-be　<u>acambi</u>-o?
　　　　あなたたち　毎日　　　　張三-を　　　見る-Q
　　　　'あなた方は、毎日張三を見ますか？'

　　 g. Ce　　inenggidari　Jangsan'-be　<u>acambi</u>.
　　　　彼女ら　毎日　　　　張三-を　　　見る
　　　　'彼女らは、毎日張三を見ます。'

　　 h. Ce　inenggidari　Jangsan'-be　<u>acambi</u>.
　　　　彼ら　毎日　　　　張三-を　　　見る
　　　　'彼らは、毎日張三を見ます。'

最も普通に聞こえる文になるように、主語が2人称の時は、疑問文にし、

その他の文は、すべて平叙文にしてあります。以上の例から明らかなように、満州語では、モンゴル語と同様、主語と動詞の一致が見えず、主語の人称、性別、単数か複数かによって、動詞の形が全く変わりません。

　続いて、満州語には、「の」主語が存在するかどうか見てみましょう。まずは、名詞と名詞の間に「の」が現れる例を見ておきましょう。

 (7) Jangsan'-i bithe
   張三-の　　本
   '張三の本'

(7) が示す通り、満州語の「の」は、名詞と名詞の間に現れます。

　では、文の中に「の」主語が現れるかどうか見てみましょう。満州語も、モンゴル語同様、「の」主語があります。まず、(8) と (9) の例を見てください。

 (8) Sikse Jangsan' tere bithe-be udaha.
   昨日　張三　　その　本-を　　買った
   '昨日張三がその本を買った。'

 (9) [Sikse Jangsan'-i udaha] bithe-oqi ere　bithe inu.
   [昨日　張三-の　　買った] 本-は　　この　本　　です
   '昨日張三の買った本は、この本です。'

(8) は、「昨日張三がその本を買った」という単文です。それに対して、(9) は、「の」主語の例です。もちろん、「が」主語も可能です。

 (10) [Sikse Jangsan' udaha] bithe-oqi ere　bithe inu.
   [昨日　張三　　買った] 本-は　　この　本　　です
   '昨日張三が買った本は、この本です。'

関係節の中の主語が、「が」主語でも、「の」主語でもいいという点は、モ

ンゴル語と全く同じです。

　その他、関係節ではない環境でも、「の」主語が出現することができます。例えば、「まで」節です。

(11)　[Aga waqihiyame nakaha de isitala], Jangsan' albanbou-de
　　　[雨　完全に　　　止む　まで]　　　張三　　オフィス-に
　　　bihei bi.
　　　ずっと いた
　　　'雨が完全に止むまで、張三が、オフィスにずっといた。'

(12)　[Aga-i waqihiyame nakaha de isitala], Jangsan' albanbou-de
　　　[雨-の 完全に　　　止む　まで]　　　張三　　オフィス-に
　　　bihei bi.
　　　ずっと いた
　　　'雨の完全に止むまで、張三が、オフィスにずっといた。'

(12) の日本語訳が示すように、日本語でも、「の」主語が、「まで」節の中で可能です。

　さらに、目的語がある場合にも、「の」主語が現れることができます。

(13)　[Sikse Jangsan' tere bithe-be juwen buhe ningge], Liisy'
　　　[昨日 張三　　その 本-を　　あげた　　　人]　　李四
　　　inu.
　　　です
　　　'昨日張三がその本をあげた人は、李四です。'

(14)　[Sikse Jangsan'-i tere bithe-be juwen buhe ningge],
　　　[昨日　張三-の　その 本-を　　あげた　　　人]
　　　Liisy' inu.
　　　李四　です

　　　'昨日張三のその本をあげた人は、李四です。'

(14) において、「の」主語の *Jangsan'-i* '張三-の' が、「を」目的語の
tere bithe-be 'その本-を' とともに出現しています。前述したように、
(14) の日本語に対応する文は、日本語として正しく聞こえないと言われ
ています。もしそうだとすると、満州語の「の」主語の守備範囲は、日本
語の「の」主語の守備範囲より、少し広いことになります。

　最後に、満州語には、話題の「は」が存在するかどうか見てみましょう。
(15) と (9) で明らかなように、満州語には、話題の「は」-*oqi* が存在し
ます。

　(15)　[Ere　bithe]-oqi, duleke aniya Jangsan'-i　araha　　ningge.
　　　　[この　本]-は　　去年　　　　張三-の　　書いた　の
　　　　'この本は、去年、張三が書いたのです。'

　(9)　[Sikse Jangsan'-i udaha]　bithe-oqi ere　bithe　inu.
　　　　[昨日　張三-の　　買った] 本-は　　この　本　　です
　　　　'昨日張三の買った本は、この本です。'

(15) では、目的語の名詞句に話題の「は」-*oqi* が付けられ、名詞句が話
題化されています。(9) では、関係節を含む主語の名詞句に話題の「は」
-*oqi* が付けられ、名詞句が話題化されています。

　上記のことから、満州語は、日本語に特有な特徴を四つすべて持ってい
ることが分かります。それは、SOV の語順、「の」主語、話題の「は」、
そして、主語と動詞の一致がないことです。これを、これまでわかってい
る事実とともに、表にまとめてみましょう。

(16)　各言語の特徴

言語	語順：SOV	「の」主語	話題の「は」	主語と動詞の一致
日本語	✓	✓	✓	*
中国語	*	?	*	*
英語	*	*	*	✓
ウルドゥ語	✓	✓	*	✓
ベンガル語	✓	✓	*	✓
モンゴル語	✓	✓	✓	*
満州語	✓	✓	✓	*

このことから、満州語は、ほぼ日本語と同じだと言うことができそうです。

7章　シベ語

言いたいこと：**ほぼ日本語。**

　シベ語は、ツングース語族に属する言語の一つです。錫伯語とも表記されます。現在、シベ語は、中国東北部の遼寧省や新疆ウイグル自治区で話されています。シベ語は、清の初代皇帝とされるヌルハチ（1559-1626）の時代に、女真族の一つであるシベ（錫伯）族の人々に話されていました。1764 年の乾隆帝の時代に、シベ族の兵士が新疆辺境守備を命じられ、満洲から移住し、その結果、新疆ウイグル自治区において、現在、シベ語が話されています。この歴史から、シベ語は、満州語と起源を同じくしていると考えることができます。本章のシベ語の例は、すべて、新疆ウイグル自治区在住でシベ語母語話者の佟靖（Tong Jing）氏と关明书（Guan Mingshu）氏に提供していただきました。

　シベ語も、満州語同様、以下で見るように、もう、ほとんど日本語と同じ性質を持っています。シベ語も、満州語同様、対格言語です。したがって、次のようなことがありません。つまり、他動詞の主語は特別で、自動詞の主語と他動詞の目的語が、同じように振る舞うということです。(1)と (2) は、自動詞の例、(3)-(6) は、他動詞の例です。(3) と (4) は、直接目的語だけを取る動詞の例、(5) と (6) は、間接目的語と直接目的語を取る動詞の例です。

(1)　Sikse　Jangsan　injehe.
　　　昨日　張三　　笑った
　　　'昨日、張三が笑った。'

(2)　Sikse　Jangsan　songgoho.
　　　昨日　張三　　泣いた
　　　'昨日、張三が泣いた。'

(3)　Sikse　Jangsan　Lisy-be　ferguwehebi.
　　　昨日　張三　　李四-を　褒めた
　　　'昨日、張三が李四を褒めた。'

(4)　Sikse　Jangsan　tere　bithe-be　udahabi.
　　　昨日　張三　　その　本-を　　買った
　　　'昨日、張三がその本を買った。'

(5)　Sikse　Jangsan　Lisy-de　tere　bithe-be　buhe.
　　　昨日　張三　　李四-に　その　本-を　　あげた
　　　'昨日、張三が李四にその本をあげた。'

(6)　Sikse　Jangsan　Lisy-de　jasigan　araha.
　　　昨日　張三　　李四-に　手紙　　書いた
　　　'昨日、張三が李四に手紙を書いた。'

シベ語では、自動詞でも他動詞でも、主語 *Jangsan* には、助詞が付きません。また、目的語が *Lisy* のように人物名を示す場合には、対格を示す *-be* が付けられます。それに対して、*jasigan*「手紙（一通）」のような不定の名詞には、付けなくてもかまいません。

　では、シベ語が対格言語であることが分かったところで、4つの性質を見ていきます。分かりやすいように、語順、主語と動詞の一致、「の」主語、そして、話題の「は」の順に見ていきます。

まず、語順は、すでに（3）で見たように、SOV です。単文では、全く
日本語と同じ語順になっています。埋め込み文を含む文においても、日本
語と同じ語順になっています。埋め込み文の最後には、補文化標識の
seme「と」が付けられています。

(7) Lijen [Jangsan Lisy-be ferguwehebi seme] gisurehebi.

　　李珍　[張三　　李四-を　褒めた　　　と]　　言った

　　'李珍が、張三が李四を褒めたと言った。'

　次に、主語と動詞の一致があるかどうか見てみましょう。以下の例を見
てください。

(8) a. Bi Jangsan-be inenggidari sabumbi.

　　　私　張三-を　　毎日　　　見る

　　　'私は、張三を毎日見ます。'

　　b. Si　　Jangsan-be inenggidari sabumbi-o?

　　　あなた　張三-を　　毎日　　　見る-Q

　　　'あなたは、張三を毎日見ますか。'

　　c. Yi　Jangsan-be inenggidari sabumbi.

　　　彼女　張三-を　　毎日　　　見る

　　　'彼女は、張三を毎日見ます。'

　　d. Yi Jangsan-be inenggidari sabumbi.

　　　彼　張三-を　　毎日　　　見る

　　　'彼は、張三を毎日見ます。'

　　e. Be　　Jangsan-be inenggidari sabumbi.

　　　私たち　張三-を　　毎日　　　見る

　　　'私たちは、張三を毎日見ます。'

　　f. Suwe　　Jangsan-be inenggidari sabumbi-o?

　　　あなたたち　張三-を　　毎日　　　見る-Q

'あなた方は、張三を毎日見ますか。'

g. Ce　　Jangsan-be inenggidari sabumbi.

彼女ら 張三-を　　毎日　　　見る

'彼女らは、張三を毎日見ます。'

h. Ce　　Jangsan-be inenggidari sabumbi.

彼ら　張三-を　　毎日　　　見る

'彼らは、張三を毎日見ます。'

最も普通に聞こえる文になるように、主語が2人称の時は、疑問文にし、その他の文は、すべて平叙文にしてあります。以上の例から明らかなように、シベ語では、満州語と同様、主語と動詞の一致が見えず、主語の人称、性別、単数か複数かによって、動詞の形が全く変わりません。

　続いて、シベ語には、「の」主語が存在するかどうか見てみましょう。まずは、名詞と名詞の間に「の」が現れる例を見ておきましょう。

(9)　Jangsan-i　bithe

張三-の　　本

'張三の本'

(9) が示す通り、シベ語の「の」は、名詞と名詞の間に現れます。

　では、文の中に「の」主語が現れるかどうか見てみましょう。シベ語も、満州語同様、「の」主語があります。まず、(10) と (11) の例を見てください。

(10)　Sikse Jangsan er　　bithe-be uncham geh.

昨日　張三　この 本-を　　買って　来た。

'昨日張三がこの本を買った。'

(11)　Sikse Jangsan-i uncham geh bithe-oci er.

昨日　張三-の　　買って 来た 本-は　　これ

'昨日張三の買った本は、これです.'

(10) は、「昨日張三がこの本を買った」という単文です。それに対して、
(11) は、「の」主語の例です。もちろん、「が」主語も可能です。

(12) Sikse Jangsan uncham geh bithe-oci er.
　　　昨日　張三　　買って　来た　本-は　　これ
　　　'昨日張三が買った本は、これです.'

関係節の中の主語が、「が」主語でも、「の」主語でもいいという点は、モ
ンゴル語と満州語と全く同じです。
　その他、関係節ではない環境でも、「の」主語が出現することができま
す。例えば、「まで」節です。

(13) [Aga ilire xiden], Jangsan albashara-bade bihe.
　　　[雨　止む　まで]　張三　　オフィス-に　　いた
　　　'雨がやむまで、張三が、オフィスにいた.'

(14) [Aga-i ilire xiden], Jangsan albashara-bade bihe.
　　　[雨-の　止む　まで]　張三　　オフィス-に　　いた
　　　'雨のやむまで、張三が、オフィスにいた.'

(14) の日本語訳が示すように、日本語でも、「の」主語が、「まで」節の
中で可能です。
　さらに、目的語がある場合にも、「の」主語が現れることができます。

(15) emu niyalma Jangsan ere fonjin-be sure arga
　　　一人で　　　張三　　この 問題-を　解いた 方法
　　　'一人で張三がこの問題を解いた方法'

(16) emu niyalma Jangsan-i ere fonjin-be sure arga
　　　一人で　　　　張三-の　この 問題-を　解いた 方法

　　‘一人で張三のこの問題を解いた方法’

(16) において、「の」主語の *Jangsan'-i* ‘張三–の’ が、「を」目的語の *ere fonjin-be* ‘この問題–を’ とともに出現しています。前述したように、(16) の日本語に対応する文は、日本語として正しく聞こえないと言われています。もしそうだとすると、シベ語の「の」主語の守備範囲は、日本語の「の」主語の守備範囲より、少し広いことになります。

　　最後に、シベ語には、話題の「は」が存在するかどうか見てみましょう。すでに (12) で見たように、また、(17) においても、シベ語には、話題の「は」-*oci* が存在します。

(12)　Sikse　Jangsan　uncham　geh　bithe-oci　er.
　　　昨日　　張三　　　買って　来た　本–は　　　これ
　　　‘昨日張三が買った本は、これです。’

(17)　Ere　adali　bithe-oci　taqixi　hulaqi　aqarkv.
　　　この　ような　本–は　　学生　　読む　　べきでない
　　　‘このような本は、学生が読むべきではない。’

(12) では、関係節を含む主語の名詞句に話題の「は」-*oci* が付けられ、名詞句が話題化されています。(17) では、目的語の名詞句に話題の「は」-*oci* が付けられ、名詞句が話題化されています。

　　上記のことから、シベ語は、日本語に特有な特徴を四つすべて持っていることが分かります。それは、SOV の語順、「の」主語、話題の「は」、そして、主語と動詞の一致がないことです。これを、これまでわかっている事実とともに、表にまとめてみましょう。

(18)　各言語の特徴

言語	語順：SOV	「の」主語	話題の「は」	主語と動詞の一致
日本語	✓	✓	✓	*
中国語	*	?	*	*
英語	*	*	*	✓
ウルドゥ語	✓	✓	*	✓
ベンガル語	✓	✓	*	✓
モンゴル語	✓	✓	✓	*
満州語	✓	✓	✓	*
シベ語	✓	✓	✓	*

このことから、シベ語は、ほぼ日本語と同じだと言うことができそうです。

⑧章　延辺語

言いたいこと：ほぼ日本語

　延辺語は、中国吉林省東部の延辺朝鮮族自治州で話されている言語で、朝鮮語の一方言です。朝鮮族は、李氏朝鮮時代（1392 年から 1897 年まで）に、朝鮮北部から中国東北部の遼寧省、吉林省、黒竜江省に移住し、現在も、その地で、延辺語を話しています。朝鮮語の系統は、いまだ明確にはされていないとする見方がある中で、以下で見るように、延辺語は、もはや、ほとんど日本語と同じ性質を持っています。本章の延辺語の例は、すべて、延辺語母語話者で、成都中医薬大学・外国語学院の金銀姫氏に提供していただきました。

　延辺語は、日本語同様、対格言語です。したがって、次のようなことがありません。つまり、他動詞の主語は特別で、自動詞の主語と他動詞の目的語が、同じように振る舞うということです。（1）は自動詞の例、（2）は他動詞の例です。

(1) Ezey　John-i　　wusessta.
　　昨日　ジョンが　笑った
　　'昨日ジョンが笑った。'

(2) Ezey　John-i　　Sunhi-lu　　chingchanhayssta.
　　昨日　ジョンが　スンヒ-を　褒めた

'昨日ジョンがスンヒを褒めた。'

延辺語では、自動詞でも他動詞でも、主語 *John* に、主格を示す *-i* が付きます。また、目的語には、対格を示す *-lu* が付けられます。ただし、主語が *-i* で終わる時は、以下で見るように、主格を示す *-i* を付けません。

(3) Ezey Meyari   wusessta.
昨日 メアリー 笑った
'昨日メアリーが笑った。'

(4) Ezey Meyari   Sunhi-lul chingchanhayssta.
昨日 メアリーが スンヒ-を 褒めた
'昨日メアリーがスンヒを褒めた。'

さらに、以下の場合のように、*nu* '誰' のような語が主語になる場合は、*-i* ではなく、*-ka* を付けます。

(5) Ezey nu-ka dalassta-ni?
昨日 誰-が 走った-の
'昨日、誰が走ったの？'

ついでながら、「誰の本」と言いたければ、次のようになります。

(6) nu-ki chayk
誰-の 本
'誰の本'

(6) では、*nu* '誰' に *-ki* が付いています。

では、延辺語が対格言語であることが分かったところで、4つの性質を見ていきます。分かりやすいように、語順、主語と動詞の一致、「の」主語、そして、話題の「は」の順に見ていきます。

まず、語順は、すでに（2）で見たように、SOV です。単文では、全く

日本語と同じ語順になっています。埋め込み文を含む文においても、日本語と同じ語順になっています。埋め込み文の最後には、補文化標識の *ko*「と」が付けられています。

(7)　John-i　　[ezey Meyari　i　　chayk-u satta　　ko]
　　　ジョン-が [昨日　メアリー　この　本-を　　買った　と]
　　　saygkakhanta.
　　　思った
　　　'ジョンが、昨日メアリーがこの本を買ったと思った。'

　次に、主語と動詞の一致があるかどうか見てみましょう。以下の例を見てください。

(8)　a.　Na-nun　mayil　Sunhi-lu　　popnita.
　　　　　私-は　　毎日　スンヒ-を　見ます
　　　　　'私は、毎日スンヒを見ます。'

　　　b.　Tangsin-un　mayil　Sunhi-lu　　popni-ka
　　　　　あなた-は　　毎日　スンヒ-を　見ます-Q
　　　　　'あなたは、毎日スンヒを見ますか？'

　　　c.　Kunye-nun　mayil　Sunhi-lu　　popnita.
　　　　　彼女-は　　　毎日　スンヒ-を　見ます
　　　　　'彼女は、毎日スンヒを見ます。'

　　　d.　Ku-nun　mayil　Sunhi-lu　　popnita.
　　　　　彼-は　　毎日　スンヒ-を　見ます
　　　　　'彼は、毎日スンヒを見ます。'

　　　e.　Wuli-nun　mayil　Sunhi-lu　popnita.
　　　　　私たち-は　毎日　スンヒ-を　見ます
　　　　　'私たちは、毎日スンヒを見ます。'

    f. Tangsin-tul-un   mayil Sunhi-lu   popni-ka?

       あなた-たち-は   毎日   スンヒ-を 見ます-Q

       'あなた方は、毎日スンヒを見ますか？'

    g. Kunye-tul-un mayil Sunhi-lu popnita.

       彼女-たち-は 毎日   スンヒを 見ます

       '彼女らは、毎日スンヒを見ます。'

    h. Ku-tul-un   mayil Sunhi-lu popnita.

       彼-たち-は 毎日   スンヒを 見ます

       '彼らは、毎日スンヒを見ます。'

最も普通に聞こえる文になるように、主語が2人称の時は、疑問文にし、その他の文は、すべて平叙文にしてあります。以上の例から明らかなように、延辺語では、満州語やシベ語と同じように、主語と動詞の一致が見えず、主語の人称、性別、単数か複数かによって、動詞の形が全く変わりません。

　続いて、延辺語には、「の」主語が存在するかどうか見てみましょう。延辺語にも、日本語同様、「の」主語があります。まず、(9) と (10) の例を見てください。

(9)　[Ecey nu-ka mantun　　　lyoli]-ka ceyil masissess-ni?

　　　[昨日　誰-が　作った(連体形)　料理]-が　一番　おいしかった-の

　　　'昨日誰が作った料理が、一番おいしかったの？'

(10)　[Ecey nu-ki mantun　　　lyoli]-ka ceyil masissess-ni?

　　　[昨日　誰-の　作った(連体形)　料理]-が　一番　おいしかった-の

　　　'昨日誰が作った料理が、一番おいしかったの？'

(9) では、「誰が」が関係節の主語、(10) では、「誰の」が関係節の主語です。したがって、延辺語には、「の」主語が存在します。関係節の中の主語が、「が」主語でも、「の」主語でもいいという点は、満州語やシベ語と

全く同じです。

　それでは、延辺語では、満州語のように、関係節ではない環境でも、「の」主語が出現できるか見てみましょう。例えば、「まで」節です。おさらいとして、満州語の「まで」節に、「の」主語が出現するという事実を確認しておきます。

(11)　[Aga waqihiyame nakaha de isitala], Jangsan' albanbou-de
　　　[雨　完全に　　　止む　まで]　　　張三　　オフィス-に
　　　bihei　bi.
　　　ずっと　いた
　　　'雨が完全に止むまで、張三が、オフィスにずっといた。'

(12)　[Aga-i waqihiyame nakaha de isitala], Jangsan' albanbou-de
　　　[雨-の　完全に　　　止む　まで]　　　張三　　オフィス-に
　　　bihei　bi.
　　　ずっと　いた
　　　'雨の完全に止むまで、張三が、オフィスにずっといた。'

(12) は、満州語において、関係節ではない、「まで」節において、「の」主語が出現することを示しています。では、同じことが延辺語にも当てはまるかどうか見てみます。結論から言いますと、不思議なことに、延辺語では、「まで」節において、「の」主語が可能ではありません。というのは、以下の例で見るように、そもそも、延辺語では、「まで」節は、直接、動詞に続くことができないからです。

(13)　*wancenhi pi kkunul　　　　　kkaci
　　　完全に　　雨　止んだ（連体形）まで
　　　'完全に雨が止むまで'

ただし、「止んだ」と「まで」の間に、「時」のような名詞が入り、それに

より、「時」より前に来る節が、「時」を修飾する関係節になる場合は、「が」主語も、「の」主語も、可能です。以下を見てください。少し、説明が必要です。

(14) [John-un   wancenhi pi^(H) kkunul   ttay-kkaci]
     [ジョン-は 完全に　　雨が　止んだ（連体形）時-まで]
     samusil-ey   issessta.
     オフィス-に　いた
     'ジョンは、完全に雨が止むまで、オフィスにいた。'

(15) [John-un   wancenhi pi^(L) kkunul   ttay-kkaci]
     [ジョン-は 完全に　　雨の　止んだ（連体形）　時-まで]
     samusil-ey   issessta.
     オフィス-に　いた
     'ジョンは、完全に雨の止むまで、オフィスにいた。'

延辺語では、pi '雨' のように、-i で終わる名詞が主語である場合、これが、主格を表す場合は、高い「イー」の音で発音し、これが、属格を表す場合は、低い「イー」の音で発音します。それで、(14) では、「が」主語を表すために、pi^(H) '雨が' と表記され、一方、(14) では、「の」主語を表すために、pi^(L) '雨の' と表記されています。そして、両方とも、可能です。しかし、これは、当然のことです。すでに、(9) と (10) の例で、延辺語には、「が」主語も「の」主語も可能であることは分かっているからです。

続いて、目的語がある場合にも、「の」主語が現れるかどうかどうか見てみましょう。満州語では、それが可能でした。おさらいとして、以下の例を見てみましょう。

(16) [Sikse Jangsan' tere   bithe-be juwen buhe] ningge, Liisy' inu.
     [昨日 張三　　その 本-を　あげた]　　人　　李四 です
     '昨日張三がその本をあげた人は、李四です。'

(17) [Sikse Jangsan'-i tere bithe-be juwen buhe] ningge, Liisy'
　　　[昨日　張三-の　その 本-を　　あげた]　　　人　　李四
　　　inu.
　　　です
　　　'昨日張三のその本をあげた人は、李四です。'

(17) において、「の」主語の *Jangsan'-i* '張三-の' が、「を」目的語の
tere bithe-be 'その本-を' とともに出現しています。前述したように、
(17) の日本語に対応する文は、日本語として正しく聞こえないと言われ
ています。では、延辺語はどうでしょうか？ 以下の例を見てください。

(18) [John-i^(H)　chayk-u pillyecun]　　　　salam
　　　[ジョン-が 本-を　　貸した（連体形）]　人
　　　'ジョンが本を貸した人'

(19) *[John-i^(L)　chayk-u pillyecun]　　　　salam
　　　[ジョン-の 本-を　　貸した（連体形）]　人
　　　'ジョンの本を貸した人'

この例は、2014 年に提出された金銀姫氏の博士論文『主格・属格交替に
関する比較研究』で論じられています。満州語では、「の」主語と「を」目
的語が共起できますが、延辺語では、日本語同様、共起できません。
　最後に、延辺語には、話題の「は」が存在するかどうか見てみましょう。
(8a) と (14) で明らかなように、延辺語には、話題の「は」-(n)un が存
在します。

(8) a. Na-nun mayil Sunhi-lu popnita.
　　　私-は　毎日　スンヒ-を 見ます
　　　'私は、毎日スンヒを見ます。'

(14) John-un   [wancenhi pi^(H)   kkunul   ttay-kkaci]

     ジョン-は [完全に　雨が　止んだ（連体形）時-まで]

     samusil-ey   issessta.

     オフィス-に　いた

     'ジョンは、完全に雨が止むまで、オフィスにいた。'

　上記のことから、延辺語は、日本語に特有な特徴を４つすべて持っていることが分かります。それは、SOV の語順、「の」主語、話題の「は」、そして、主語と動詞の一致がないことです。これを、これまでわかっている事実とともに、表にまとめてみましょう。

(20)　各言語の特徴

言語	語順：SOV	「の」主語	話題の「は」	主語と動詞の一致
日本語	✓	✓	✓	*
中国語	*	?	*	*
英語	*	*	*	✓
ウルドゥ語	✓	✓	*	✓
ベンガル語	✓	✓	*	✓
モンゴル語	✓	✓	✓	*
満州語	✓	✓	✓	*
シベ語	✓	✓	✓	*
延辺語	✓	✓	✓	*

このことから、延辺語は、ほぼ日本語と同じだと言うことができそうです。

9章 ウイグル語

言いたいこと：**かなり日本語。**

　ウイグル語は、テュルク諸語に分類されます。ウイグル語は、中国の新疆ウイグル自治区、カザフスタン、キルギスタン、ウズベキスタン、アフガニスタン、パキスタン、トルコで話されています。本章のウイグル語の例は、すべて、Mijiti Maihemuti 氏と Yaxar 氏に提供していただきました。

　ウイグル語も、以下で見るように、かなりの程度日本語と同じ性質を持っています。ウイグル語は、満州語やシベ語同様、対格言語です。したがって、次のようなことがありません。つまり、他動詞の主語は特別で、自動詞の主語と他動詞の目的語が、同じように振る舞うということです。(1) は、自動詞の例、(2) は、他動詞の例です。

(1) Tünügün Polat　　kul-di.
　　昨日　　ポラット 笑っ‐た（終止形）
　　'昨日、ポラットが笑った。'

(2) Tünügün Polat　　Yultuz-ni　　　mahti-di.
　　昨日　　ポラット ユルトゥズ‐を 褒め‐た（終止形）
　　'昨日、ポラットがユルトゥズを褒めた。'

ウイグル語では、自動詞でも他動詞でも、主語 *Polat* には、助詞が付きま

せん。また、目的語が *Yultuz* のように人物名を示す場合には、対格を示す *-ni* が付けられます。一方、物である場合は、その物が不特定のものなら、対格を示す *-ni* が現れても現れなくても構いません。

(3) Tünügün Polat　　kitab　setiw-al-di.
　　昨日　　　ポラット　本　　買い-取っ-た（終止形）
　　‘昨日、ポラットが本を買った。’

(4) Tünügün Polat　　kitab-ni　setiw-al-di.
　　昨日　　　ポラット　本-を　　買い-取っ-た（終止形）
　　‘昨日、ポラットが本を買った。’

また、直接目的語とともに、間接目的語を取る動詞の例は、以下に示されます。

(5) Adil　　Yultuz-ha　　het　yolli-di.
　　アディル　ユルトゥズ-に　手紙　送っ-た（終止形）
　　‘アディルがユルトゥズに 手紙を送った。’

では、ウイグル語が対格言語であることが分かったところで、4つの性質を見ていきます。分かりやすいように、語順、主語と動詞の一致、「の」主語、そして、話題の「は」の順に見ていきます。

まず、語順は、すでに（2）で見たように、SOV です。単文では、全く日本語と同じ語順になっています。埋め込み文を含む文においても、日本語と同じ語順になっています。埋め込み文の最後には、補文化標識の *dep*「と」が付けられています。

(6) Polat-bolsa　　[Adil　　Yultuz-ni　　　mahti-di
　　ポラット-Top　[アディル　ユルトゥズ-を　褒め-た（終止形）
　　dep] oyli-di.
　　と]　思っ-た（終止形）

'ポラットは、アディルがユルトゥズを褒めたと思った。'

(7) Polat-bolsa 　[Adil 　　 Yultuz-ni 　　　 mahti-di
　　 ポラット-Top 　[アディル　ユルトゥズ−を　褒め−た（終止形）
　　 dep] eyit-ti.
　　 と]　言っ−た（終止形）
　　 'ポラットは、アディルがユルトゥズを褒めたと言った。'

おもしろいことに、間接疑問文では、日本語と異なり、疑問助詞の「か」
に対応する助詞が現れません。以下の例を見てください。

(8) Polat 　　　[kim-ning Yultuz-ni 　　　 mahti-hanliq-i]-ni
　　 ポラット [誰−の　　　ユルトゥズ−を　褒め−た（連体形）-PoP.3]-を
　　 iside saqli-di.
　　 覚えてい−た（終止形）
　　 'ポラットが、誰がユルトゥズを褒めたか覚えていた。'

(9) Polat 　　　[Adil-ning 　　 kim-ni mahti-hanliq-i]-ni
　　 ポラット [アディル−の　誰−を　　褒め−た（連体形）-PoP.3]-を
　　 iside saqli-di.
　　 覚えてい−た（終止形）
　　 'ポラットが、アディルが誰を褒めたか覚えていた。'

「誰がユルトゥズを褒めたを」という具合に、「か」がありません。それで
も、間接疑問文として成立しています。
　次に、主語と動詞の一致があるかどうか見てみましょう。以下の例を見
てください。

(10) a. Man hat-ni 　 yeziwati-man.
　　　　 私　　手紙−を　書いている-PeP.1.Sg
　　　　 '私は、手紙を書いています。'

b. Sen　　hat-ni　　yeziwat-sem　　　　mu?
　　あなた　手紙-を　書いている-PeP.2.Sg　Q
　　'あなたは、手紙を書いていますか？'

c. U　　hat-ni　　yeziwati-du.
　　彼女　手紙-を　書いている-PeP.3.Sg
　　'彼女は、手紙を書いています。'

d. U　hat-ni　　yeziwati-du.
　　彼　手紙-を　書いている-PeP.3.Sg
　　'彼は、手紙を書いています。'

e. Biz　　hat-ni　　yeziwati-miz.
　　私たち　手紙-を　書いている-PeP.1.Pl
　　'私たちは、手紙を書いています。'

f. Siler　　　hat-ni　　yeziwata-msiler　　　mu?
　　あなたたち　手紙-を　書いている-PeP.2.Pl　Q
　　'あなたがたは、手紙を書いていますか？'

g. Vlar　　hat-ni　　yeziwati-du.
　　彼女ら　手紙-を　書いている-PeP.3.Pl
　　'彼女らは、手紙を書いています。'

h. Vlar　hat-ni　　yeziwati-du.
　　彼ら　手紙-を　書いている-PeP.3.Pl
　　'彼らは、手紙を書いています。'

最も普通に聞こえる文になるように、主語が2人称の時は、疑問文にし、その他の文は、すべて平叙文にしてあります。以上の例から明らかなように、ウイグル語では、動詞に、主語に対応した、人称代名詞が付けられています。これによって、主語と動詞の一致が、はっきりしています。英語においては、もはや3人称単数現在の時しか、動詞にSが付きませんが、ウイグル語においては、主語の人称、性別、単数か複数かによって、動詞

につく人称代名詞の形が変わってきます。

　続いて、ウイグル語には、「の」主語が存在するかどうか見てみましょう。まずは、名詞と名詞の間に「の」が現れる例を見ておきましょう。

　　(11)　Polat-ning　　kitab-i
　　　　　ポラット-の　　本-PoP.3
　　　　　'ポラットの本'

(11) が示す通り、ウイグル語の「の」は、名詞と名詞の間に現れます。

　では、文の中に「の」主語が現れるかどうか見てみましょう。ウイグル語にも、日本語同様、「の」主語があります。まず、(12) と (13) の例を見てください。

　　(12)　[Tünügün Polat　　　setiw-al-han]　　　　　　　kitab-bolsa
　　　　　[昨日　　　ポラット　買い-取っ-た (連体形)]　本-Top
　　　　　bu　　kitab.
　　　　　この　本
　　　　　'昨日ポラットが買った本は、この本です。'

　　(13)　[Tünügün Polat-ning　　setiw-al-han]　　　　kitab-i-bolsa
　　　　　[昨日　　　ポラット-の　買い-取っ-た (連体形)]　本-PoP.3-Top
　　　　　bu　　kitab.
　　　　　この　本
　　　　　'昨日ポラットの買った本は、この本です。'

(12) では、「ポラット」が関係節の主語、(13) では、「ポラットの」が関係節の主語です。したがって、ウイグル語には、「の」主語が存在します。ただし、注意する点があります。(13) において、「の」主語が出現すると、必ず、修飾される名詞「本」に、所有代名詞の *-i* が付きます。確かに、本を買ったのだから、関係節の主語となっている人物が所有するようにな

り、この所有代名詞が出現することも頷けます。ところが、おもしろいことに、本を買わなかった場合でも、所有代名詞の -i が出現します。

(14) [Tünügün Polat   setiw-al-mig-han]   kitab-bolsa
     [昨日   ポラット 買い-取ら-なかっ-た（連体形）] 本-Top
     bu   kitab.
     この 本
     ‘昨日ポラットが買わなかった本は、この本です。’

(15) [Tünügün Polat-ning   setiw-al-mig-han]
     [昨日   ポラット-の 買い-取ら-なかっ-た（連体形）]
     kitab-i-bolsa bu   kitab.
     本-PoP.3-Top この 本
     ‘昨日ポラットの買わなかった本は、この本です。’

(15) は、ポラットが買わなかった本のことを述べており、したがって、ポラットはその本を今手にしていないにもかかわらず、修飾される名詞「本」に、所有代名詞の -i が付いています。つまり、「の」主語が出現すれば、所有代名詞の -i も出現するという、意味とは全く独立した操作がウイグル語に存在することを示しています。

それでは、ウイグル語では、満州語のように、関係節ではない環境でも、「の」主語が出現できるか見てみましょう。例えば、「まで」節です。

(16) Polat   [yamghur tahti-ghan-gha   qeder] ishhansi-da
     ポラット [雨   止ん-だ（連体形）-Alt まで] オフィス-に
     tur-di.
     い-た（終止形）
     ‘ポラットは、雨が止むまで、オフィスにいた。’

(17) *Polat　　　[yamghur-ning　tohti-ghin-ghe　　　　qeder]
　　　ポラット　［雨-の　　　　　　止ん-だ（連体形）-Alt　まで］
　　　ishhansi-da　tur-di.
　　　オフィス-に　い-た（終止形）
　　　'ポラットは、雨の止むまで、オフィスにいた。'

(18) Polat　　　　[yamghur-ning　tohti-ghin-i-ghe
　　　ポラット　［雨-の　　　　　　止ん-だ（連体形）-PoP.3.Sg-Alt
　　　qeder] ishhansi-da　tur-di.
　　　まで］　オフィス-に　い-た（終止形）
　　　'ポラットは、雨の止むまで、オフィスにいた。'

　結論から言うと、(18) で見るように、ウイグル語では、「まで」節におい
て、「の」主語が出現できます。ここでも、一点注意が必要です。まずは、
「まで」に続く節は、*ghe* 'Alt' が付加しています。Alt は、Allative の略
で、向格と言います。日本語には見当たりません。この向格の直前に、所
有代名詞の -*i* が付いています。雨が、自分が止むことを所有するという
意味は、よく分かりませんが、実際は、この所有代名詞は、上述したよう
に、意味と無関係であるので、「の」主語が出現すれば、必ず、出現する
というものです。

　続いて、目的語がある場合にも、「の」主語が現れるかどうか見てみま
しょう。以下の例を見てください。

(19) [Tünügün Polat　　　kitab-ni birip tur-ghan]　　　adem-bolsa
　　　［昨日　　　ポラット　本-を　貸し-た（連体形）］人-Top
　　　Adil.
　　　アディル
　　　'昨日ポラットが本を貸した人は、アディルです。'

(20)　[Tünügün Polat-ning　　kitab-ni　birip tur-ghan]
　　　[昨日　　　ポラット-の　本-を　　　貸し-た（連体形）]
　　　adem-i-bolsa　Adil.
　　　人-PoP.3-Top　アディル
　　　'昨日ポラットの本を貸した人は、アディルです.'

ウイグル語では、日本語と異なり、「の」主語と「を」目的語が共起できます。

　最後に、ウイグル語には、話題の「は」が存在するかどうか見てみましょう。(6) と (19) で明らかなように、ウイグル語には、話題の「は」-*bolsa* が存在します。

(6)　Polat-bolsa　　[Adil　　　Yultuz-ni　　　mahti-di
　　　ポラット-Top　[アディル　ユルトゥズ-を　褒め-た（終止形）
　　　dep] oyli-di.
　　　と]　思っ-た（終止形）
　　　'ポラットは、アディルがユルトゥズを褒めたと思った.'

(19)　[Tünügün Polat　　kitab-ni birip tur-ghan]　　　adem-bolsa
　　　[昨日　　　ポラット　本-を　　貸し-た（連体形）]　人-Top
　　　Adil.
　　　アディル
　　　'昨日ポラットが本を貸した人は、アディルです.'

　上記のことから、ウイグル語は、日本語に特有な特徴を三つ持っていることが分かります。それは、SOV の語順、「の」主語、話題の「は」です。これを、これまでわかっている事実とともに、表にまとめてみましょう。

(21)　各言語の特徴

言語	語順：SOV	「の」主語	話題の「は」	主語と動詞の一致
日本語	✓	✓	✓	*
中国語	*	?	*	*
英語	*	*	*	✓
ウルドゥ語	✓	✓	*	✓
ベンガル語	✓	✓	*	✓
モンゴル語	✓	✓	✓	*
満州語	✓	✓	✓	*
シベ語	✓	✓	✓	*
延辺語	✓	✓	✓	*
ウイグル語	✓	✓	✓	✓

このことから、ウイグル語は、かなり日本語と似ていると言うことができそうです。

10章　ウズベク語

言いたいこと：**まあまあ日本語。**

　ウズベク語も、テュルク諸語に分類されます。テュルク諸語の中ではカルルク・テュルク語群（南東語群）に分類されます。ウズベク語は、ウズベキスタンの公用語で、ウズベキスタンの他に、中国の新疆ウズベク自治区、タジキスタン、キルギス、カザフスタン、トルクメニスタン、アフガニスタンでも話されています。本章のウズベク語の例は、すべて、Begzodbek Mukhtorov 氏に提供していただきました。

　ウズベク語も、以下で見るように、結構日本語と同じ性質を持っています。ウズベク語は、ウイグル語同様、対格言語です。したがって、次のようなことがありません。つまり、他動詞の主語は特別で、自動詞の主語と他動詞の目的語が、同じように振る舞うということです。(1) は、自動詞の例、(2) は、他動詞の例です。

(1)　Kecha　Begzodbek　　yig'la-di.
　　　昨日　ベグゾベック　泣い-た（終止形）
　　　'昨日、ベグゾベックが泣いた。'

(2)　Kecha　Begzodbek　　Saidakbar-ni　　maqta-di.
　　　昨日　ベグゾベック　サイダクバル-を　褒め-た（終止形）
　　　'昨日、ベグゾベックがサイダクバルを褒めた。'

ウズベク語では、自動詞でも他動詞でも、主語 *Begzodbek* には、助詞が付きません。また、目的語が *Saidakbar* のように人物名を示す場合には、対格を示す *-ni* が付けられます。一方、物である場合は、その物が不特定のものなら、対格を示す *-ni* が現れても現れなくても構いません。

(3) Begzodbek　　kecha　kitob　sotib-ol-di.
　　ベグゾベック　昨日　　本　　買い-取っ-た（終止形）
　　'ベグゾベックが、昨日、本を買った。'

(4) Begzodbek　　kecha　kitob-ni　sotib-ol-di.
　　ベグゾベック　昨日　　本-を　　買い-取っ-た（終止形）
　　'ベグゾベックが、昨日、本を買った。'

また、直接目的語とともに、間接目的語を取る動詞の例は、以下に示されます。

(5) Begzodbek　　Saidakbar-ga　　xat　yubor-di.
　　ベグゾベック　サイダクバル-に　手紙　送っ-た（終止形）
　　'ベグゾベックがサイダクバルに 手紙を送った。'

　では、ウズベク語が対格言語であることが分かったところで、4つの性質を見ていきます。分かりやすいように、語順、主語と動詞の一致、「の」主語、そして、話題の「は」の順に見ていきます。
　まず、語順は、すでに（2）で見たように、SOV です。単文では、全く日本語と同じ語順になっています。埋め込み文を含む文においても、日本語と同じ語順になっています。埋め込み文の最後には、補文化標識の *deb*「と」が付けられています。

(6) Begzodbek　[Saidakbar　　Temur-ni　　maqta-di
　　ベグゾベック　[サイダクバル　テミュール-を　褒め-た（終止形）

deb] o'yla-di.

と］　思っ–た（終止形）

‘ベグゾベックが、サイダクバルがテミュールを褒めたと思った。’

(7) Begzodbek　　[Saidakbar　　Temur-ni　　　maqta-di

ベグゾベック［サイダクバル　テミュール-を　褒め–た（終止形）

deb] ayt-di.

と］　言っ–た（終止形）

‘ベグゾベックが、サイダクバルがテミュールを褒めたと言った。’

ウイグル語同様に、間接疑問文では、日本語と異なり、疑問助詞の「か」に対応する助詞が現れません。以下の例を見てください。

(8) Begzodbek　　[kim Temur-ni　　　maqta-gan-i]-ni

ベグゾベック［誰　テミュール-を　褒め–た（連体形)-PoP.3]-を

esla-di.

思い出し–た（終止形）

‘ベグゾベックが、誰がテミュールを褒めたか思い出した。’

(9) Begzodbek　　[Saidakbar　　kim-ni maqta-gan-i]-ni

ベグゾベック［サイダクバル　誰-を　褒め–た（連体形)-PoP.3]-を

esla-di.

思い出し–た（終止形）

‘ベグゾベックが、サイダクバルが誰を褒めたか思い出した。’

「誰がテミュールを褒めたを」という具合に、「か」がありません。それでも、間接疑問文として成立しています。

　次に、主語と動詞の一致があるかどうか見てみましょう。以下の例を見てください。

(10) a.　Men harkun-i Saidakbar-ni　　ko'r-aman.
　　　　私　　毎日-に　サイダクバルを　見る-PeP.1.Sg
　　　　'私は、毎日サイダクバルを見ます。'

　　b.　Siz　　harkun-i Saidakbar-ni　　ko'r-asiz-mi?
　　　　あなた　毎日-に　サイダクバルを　見る-PeP.2.Sg-Q
　　　　'あなたは、毎日サイダクバルを見ますか？'

　　c.　U　qiz　harkun-i Saidakbar-ni　　ko'r-adi.
　　　　彼女　女性　毎日-に　サイダクバルを　見る-PeP.3.Sg
　　　　'彼女は、毎日サイダクバルを見ます。'

　　d.　U yigit harkun-i Saidakbar-ni　　ko'r-adi.
　　　　彼 男性 毎日-に　サイダクバルを　見る-PeP.3.Sg
　　　　'彼は、毎日サイダクバルを見ます。'

　　e.　Biz　　harkun-i Saidakbar-ni　　ko'r-amiz.
　　　　私たち 毎日-に　サイダクバルを　見る-PeP.1.Pl
　　　　'私たちは、毎日サイダクバルを見ます。'

　　f.　Sizlar　　harkun-i Saidakbar-ni　　ko'r-asizlar-mi?
　　　　あなたたち 毎日-に　サイダクバルを　見る-PeP.2.Pl-Q
　　　　'あなたがたは、毎日サイダクバルを見ますか？'

　　g.　U　qizlar　　harkun-i Saidakbar-ni　　ko'r-ishadi.
　　　　彼女ら 女性たち 毎日-に　サイダクバルを　見る-PeP.3.Pl
　　　　'彼女らは、毎日サイダクバルを見ます。'

　　h.　U　　yigitlar　harkun-i Saidakbar-ni　　ko'r-ishadi.
　　　　彼ら 男性たち 毎日-に　サイダクバルを　見る-PeP.3.Pl
　　　　'彼らは、毎日サイダクバルを見ます。'

最も普通に聞こえる文になるように、主語が2人称の時は、疑問文にし、その他の文は、すべて平叙文にしてあります。以上の例から明らかなように、ウズベク語では、動詞に、主語に対応した、人称代名詞が付けられて

84

います。これによって、主語と動詞の一致が、はっきりしています。

　続いて、ウズベク語には、「の」主語が存在するかどうか見てみましょう。まずは、名詞と名詞の間に「の」が現れる例を見ておきましょう。

(11)　Saidakbar-ning　　kitob-i
　　　サイダクバル-の　　本-PoP.3
　　　'サイダクバルの本'

(11) が示す通り、ウズベク語の「の」は、名詞と名詞の間に現れます。

　では、文の中に「の」主語が現れるかどうか見てみましょう。ウズベク語にも、日本語同様、「の」主語があります。まず、(12) と (13) の例を見てください。

(12)　[Kecha Begzodbek　　sotib-ol-gan]　　　　　　kitob, bu
　　　[昨日　ベグゾベック　買い-取っ-た（連体形）] 本　　この
　　　kitob.
　　　本
　　　'昨日ベグゾベックが買った本は、この本です。'

(13)　[Kecha Begzodbek-ning　sotib-ol-gan]　　　　　kitob-i,
　　　[昨日　ベグゾベックの　買い-取っ-た（連体形）] 本-PoP.3
　　　bu　kitob.
　　　この　本
　　　'昨日ベグゾベックの買った本は、この本です。'

(12) では、「ベグゾベック」が関係節の主語、(13) では、「ベグゾベックの」が関係節の主語です。したがって、ウズベク語には、「の」主語が存在します。ただし、注意する点があります。ウイグル語と同様に、(13) において、「の」主語が出現すると、必ず、修飾される名詞「本」に、所有代名詞の -i が付きます。さらに、ウイグル語と同じように、本を買わな

かった場合でも、所有代名詞の -i が出現します。

(14)　[Kecha Begzodbek　sotib-ol-ma-gan]　　　　　　kitob,
　　　[昨日　ベグゾベック 買い-取ら-なかっ-た（連体形）] 本
　　　bu　kitob.
　　　この　本
　　　'昨日ベグゾベックが買わなかった本は、この本です。'

(15)　[Kecha Begzodbek-ning sotib-ol-ma-gan]
　　　[昨日　ベグゾベックの　買い-取ら-なかっ-た（連体形）]
　　　kitob-i,　bu　kitob.
　　　本-PoP.3 この　本
　　　'昨日ベグゾベックの買わなかった本は、この本です。'

(15) は、ベグゾベックが買わなかった本のことを述べており、したがっ
て、ベグゾベックはその本を今手にしていないにもかかわらず、修飾され
る名詞「本」に、所有代名詞の -i が付いています。つまり、ウイグル語と
同じように、「の」主語が出現すれば、所有代名詞の -i も出現するという、
意味とは全く独立した操作がウズベク語にも存在することを示していま
す。
　それでは、ウズベク語では、ウイグル語のように、関係節ではない環境
でも、「の」主語が出現できるか見てみましょう。例えば、「まで」節です。

(16)　Temur　　　[yomg'ir to'xta-gun-gacha]　　　o'zi-ning
　　　テミュール [雨　　止ん-だ（連体形）-まで] 自分-の
　　　ofisi-da　　edi.
　　　オフィス-に いた
　　　'テミュールは、雨が止むまで、自分のオフィスにいた。'

(17) *Temur　　　　[yomg'ir-ning　to'xta-gun-gacha]　　　　o'zi-ning
　　 テミュール [雨-の　　　　　止ん-だ (連体形)-まで] 自分-の
　　 ofisi-da　　　 edi.
　　 オフィス-に　いた
　　 'テミュールは、雨の止むまで、自分のオフィスにいた。'

(18)　Temur　　　　　[yomg'ir-ning　to'xta-gun-i-gacha]
　　 テミュール [雨-の　　　　　止ん-だ (連体形)-PoP.3.Sg-まで]
　　 o'zi-ning　ofisi-da　　　 edi.
　　 自分-の　　オフィス-に　 いた
　　 'テミュールは、雨の止むまで、自分のオフィスにいた。'

(18) で見るように、ウイグル語同様、ウズベク語でも、「まで」節におい
て、「の」主語が出現できます。ここでも、一点注意が必要です。まずは、
「まで」に続く節に、所有代名詞の -i が付いています。雨が、自分が止む
ことを所有するという意味ではありませんが、上述したように、「の」主
語が出現すれば、必ず、出現するというものです。

　　続いて、目的語がある場合にも、「の」主語が現れるかどうか見てみま
しょう。以下の例を見てください。

(19)　[Kecha Temur　　　 kitob-ni ber-gan]　　　　　 odam
　　 [昨日　テミュール　本-を　　貸し-た (連体形)]　人
　　 Saidakbar.
　　 サイダクバル
　　 '昨日テミュールが本を貸した人は、サイダクバルです。'

(20)　[Kecha Temur-ning　　kitob-ni ber-gan]　　　　　odam-i
　　 [昨日　テミュールの　本-を　　貸し-た (連体形)] 人-PoP.3
　　 Saidakbar.
　　 サイダクバル

'昨日テミュールの本を貸した人は、サイダクバルです。'

ウズベク語では、ウイグル語と同様に、「の」主語と「を」目的語が共起できます。

　最後に、ウズベク語には、話題の「は」が存在するかどうか見てみましょう。これまで見てきたどの例においても、主語に、日本語の「は」に当たるような助詞が付いていません。母語話者に確認しても、そのような助詞は存在しないということです。したがって、ウズベク語には、話題の「は」が存在しないようです。

　上記のことから、ウズベク語は、日本語に特有な特徴を二つ持っていることが分かります。それは、SOV の語順と「の」主語です。これを、これまでわかっている事実とともに、表にまとめてみましょう。

(21)　各言語の特徴

言語	語順：SOV	「の」主語	話題の「は」	主語と動詞の一致
日本語	✓	✓	✓	*
中国語	*	?	*	*
英語	*	*	*	✓
ウルドゥ語	✓	✓	*	✓
ベンガル語	✓	✓	*	✓
モンゴル語	✓	✓	✓	*
満州語	✓	✓	✓	*
シベ語	✓	✓	✓	*
延辺語	✓	✓	✓	*
ウイグル語	✓	✓	✓	✓
ウズベク語	✓	✓	*	✓

このことから、ウズベク語は、まあまあ日本語と似ていると言うことができそうです。

11章　カザフ語

言いたいこと：**まあまあ日本語。**

　カザフ語は、テュルク諸語に分類されま
す。カザフ語は、カザフスタンの国家語で、
カザフスタンの他に、中国の新疆ウイグル自
治区、モンゴル西部、ロシアでも話されてい
ます。本章のカザフ語の例は、すべて、
Ayibota 氏と Nurziya 氏に提供していただき
ました。Ayibota 氏は、右の写真の方です。

　カザフ語も、以下で見るように、結構日本
語と同じ性質を持っています。カザフ語は、
ウイグル語とウズベク語同様、対格言語で

Ayibota 氏（カザフ族）
（Ayibota 氏提供）

す。したがって、次のようなことがありません。つまり、他動詞の主語は
特別で、自動詞の主語と他動詞の目的語が、同じように振る舞うというこ
とです。(1) は、自動詞の例、(2) は、他動詞の例です。

(1)　Kexe　Aydos　　kul-di.
　　　昨日　アイドス　笑っーた（終止形）
　　　'昨日、アイドスが笑った。'

(2)　Kexe　Aydos　　Bota-ni　mahta-di.
　　　昨日　アイドス　ボタ-を　褒め-た（終止形）
　　　'昨日、アイドスがボタを褒めた。'

カザフ語では、自動詞でも他動詞でも、主語 *Aydos* には、助詞が付きません。また、目的語が *Bota* のように人物名を示す場合には、対格を示す *-ni* が付けられます。一方、物である場合は、対格を示す *-ni* が現れても現れなくても構いません。一点注意することがあります。対格を示す *-ni* は、それが付く前の語の最後の音によって、*-ti*／*-di*／*-n* と変化します。

(3)　Kexe　Aydos　　kitap　satip-al-di.
　　　昨日　アイドス　本　　買い-取っ-た（終止形）
　　　'昨日、アイドスが本を買った。'

(4)　Kexe　Aydos　　kitap-ti　satip-al-di.
　　　昨日　アイドス　本-を　　買い-取っ-た（終止形）
　　　'昨日、アイドスが本を買った。'

また、直接目的語とともに、間接目的語を取る動詞の例は、以下に示されます。

(5)　Kexe　Tilek　　Bota-ha　hat　jolda-di.
　　　昨日　ティレック　ボタ-に　手紙　送っ-た
　　　'ティレックがボタに手紙を送った。'

　では、カザフ語が対格言語であることが分かったところで、4つの性質を見ていきます。分かりやすいように、語順、主語と動詞の一致、「の」主語、そして、話題の「は」の順に見ていきます。
　まず、語順は、すでに（2）で見たように、SOV です。単文では、全く日本語と同じ語順になっています。埋め込み文を含む文においても、日本語と同じ語順になっています。埋め込み文の最後には、補文化標識の *dep*

「と」が付けられています。

(6) Aydos　　　[Tilek　　　　Bota-ni　mahta-di　　　　dep]
アイドス［ティレック　ボタ-を　褒め-た（終止形）　と］
oyla-di.
思っ-た（終止形）
'アイドスが、ティレックがボタを褒めたと思った。'

(7) Aydos　　　[Tilek　　　　Bota-ni　mahta-di　　　　dep]
アイドス［ティレック　ボタ-を　褒め-た（終止形）　と］
ayt-ti.
言っ-た（終止形）
'アイドスが、ティレックがボタを褒めたと言った。'

おもしろいことに、間接疑問文では、日本語と異なり、疑問助詞の「か」に対応する助詞が現れません。以下の例を見てください。

(8) Aydos　　　[kim　Bota-ni　mahta-han-i]-n
アイドス［誰　　ボタ-を　褒め-た（連体形）-PoP.3]-を
bile-di.
知ってい-た（終止形）
'アイドスが、誰がボタを褒めたか（を）知っていた。'

(9) Aydos　　　[Tilek　　　　kim-di　mahta-han-i]-n
アイドス［ティレック　誰-を　　褒め-た（連体形）-PoP.3]-を
bile-di.
知ってい-た（終止形）
'アイドスが、ティレックが誰を褒めたか（を）知っていた。'

「誰がボタを褒めたを」という具合に、「か」がありません。それでも、間接疑問文として成立しています。

　次に、主語と動詞の一致があるかどうか見てみましょう。以下の例を見てください。

(10) a. Men ar-kuni Aydos-ti　kore-min.
　　　　私　毎日　アイドス-を　見る-PeP.1.Sg
　　　　'私は、毎日アイドスを見ます。'

　　b. Sen　ar-kuni Aydos-ti　kore-sing　　ba?
　　　　あなた 毎日　アイドス-を　見る-PeP.2.Sg Q
　　　　'あなたは、毎日アイドスを見ますか？'

　　c. Ol　ar-kuni Aydos-ti　kore-di.
　　　　彼女 毎日　アイドス-を　見る-PeP.3.Sg
　　　　'彼女は、毎日アイドスを見ます。'

　　d. Ol　ar-kuni Aydos-ti　kore-di.
　　　　彼 毎日　アイドス-を　見る-PeP.3.Sg
　　　　'彼は、毎日アイドスを見ます。'

　　e. Biz　ar-kuni Aydos-ti　kore-miz.
　　　　私たち 毎日　アイドス-を　見る-PeP.1.Pl
　　　　'私たちは、毎日アイドスを見ます。'

　　f. Sender　ar-kuni Aydos-ti　kore-singder　ma?
　　　　あなたたち 毎日-に アイドス-を 見る-PeP.2.Pl Q
　　　　'あなた方は、毎日アイドスを見ますか？'

　　g. Olar　ar-kuni Aydos-ti　kore-me.
　　　　彼女ら 毎日-に アイドス-を 見る-PeP.3.Pl
　　　　'彼女らは、毎日アイドスを見ます。'

　　h. Olar ar-kuni Aydos-ti　kore-me.
　　　　彼ら 毎日-に アイドス-を 見る-PeP.3.Pl
　　　　'彼らは、毎日アイドスを見ます。'

最も普通に聞こえる文になるように、主語が2人称の時は、疑問文にし、

その他の文は、すべて平叙文にしてあります。以上の例から明らかなように、カザフ語では、動詞に、主語に対応した、人称代名詞が付けられています。これによって、主語と動詞の一致が、はっきりしています。英語においては、もはや3人称単数現在の時しか、動詞にSが付きませんが、カザフ語においては、主語の人称、性別、単数か複数かによって、動詞につく人称代名詞の形が変わってきます。

　続いて、カザフ語には、「の」主語が存在するかどうか見てみましょう。まずは、名詞と名詞の間に「の」が現れる例を見ておきましょう。

　　(11)　Aydos-ting　　kitab-i
　　　　　アイドス-の　　本-PoP.3
　　　　　'アイドスの本'

(11) が示す通り、カザフ語の「の」は、名詞と名詞の間に現れます。

　では、文の中に「の」主語が現れるかどうか見てみましょう。カザフ語にも、日本語同様、「の」主語があります。まず、(12) と (13) の例を見てください。

　　(12)　[Kexe Aydos　　satip-al-han]　　　　　　kitap osi　 kitap.
　　　　　[昨日　アイドス　買い-取っ-た（連体形）] 本　　　この　本
　　　　　'昨日アイドスが買った本は、この本です。'

　　(13)　[Kexe Aydos-ting　　satip-al-han]　　　　　　kitab-i　 osi
　　　　　[昨日　アイドス-の　買い-取っ-た（連体形）] 本-PoP.3 この
　　　　　kitap.
　　　　　本
　　　　　'昨日アイドスの買った本は、この本です。'

(12) では、「アイドス」が関係節の主語、(13) では、「アイドスの」が関係節の主語です。したがって、カザフ語には、「の」主語が存在します。

ただし、注意する点があります。ウイグル語とウズベク語と同様に、カザフ語においても、(13) において、「の」主語が出現すると、必ず、修飾される名詞「本」に、所有代名詞の -i が付きます。さらに、ウイグル語とウズベク語と同様に、カザフ語においても、本を買わなかった場合でも、所有代名詞の -i が出現します。

(14)　[Kexe Aydos　satip-al-ma-han]　　　　　kitap osi
　　　[昨日　アイドス　買い取ら-なかっ-た (連体形)] 本　　この
　　　kitap.
　　　本
　　　'昨日アイドスが買わなかった本は、この本です。'

(15)　[Kexe Aydos-ting　satip-al-ma-han]　　　　kitab-i
　　　[昨日　アイドス-の　買い取ら-なかっ-た (連体形)]　本-PoP.3
　　　osi　kitap.
　　　この　本
　　　'昨日アイドスの買わなかった本は、この本です。'

(15) は、アイドスが買わなかった本のことを述べており、したがって、アイドスはその本を今手にしていないにもかかわらず、修飾される名詞「本」に、所有代名詞の -i が付いています。つまり、「の」主語が出現すれば、所有代名詞の -i も出現するという、意味とは全く独立した操作がカザフ語にも存在することを示しています。

　それでは、カザフ語では、ウイグル語やウズベク語のように、関係節ではない環境でも、「の」主語が出現できるか見てみましょう。例えば、「まで」節です。

94

(16) Aydos　　　　[jangber tohta-han-ha　　　　　deyin] isbolmesin-de
アイドス [雨　　　 止ん-だ（連体形）-Alt　まで] オフィス-に
tur-di.
い-た（終止形）
‘アイドスが、雨が止むまで、オフィスにいた。’

(17) *Aydos　　　　[jangber-ding tohta-u-na　　　　　deyin]
アイドス [雨-の　　　　 止-む（連体形）- Alt　まで]
isbolmesin-de tur-di.
オフィス-に　い-た（終止形）
‘Aydos was at his office until it stopped raining.’

(18) Aydos　　　　[jangber-ding tohta-u-i-na　　　　　deyin]
アイドス [雨-の　　　　 止-む（連体形）-PoP.3-Alt　まで]
isbolmesin-de tur-di.
オフィス-に　い-た（終止形）
‘アイドスが、雨の止むまで、オフィスにいた。’

結論から言うと、(18)で見るように、カザフ語では、「まで」節において、「の」主語が出現できます。ここでも、一点注意が必要です。まずは、「まで」に続く節は、na 'Alt' が付加しています。Alt は、Allative の略で、向格と言います。すでに、ウイグル語にも存在することを見ました。ウイグル語と同様に、カザフ語でも、この向格の直前に、所有代名詞の -i が付いています。この所有代名詞は、上述したように、意味と無関係であるので、「の」主語が出現すれば、必ず、出現するというものです。

　続いて、目的語がある場合にも、「の」主語が現れるかどうか見てみましょう。以下の例を見てください。

(19) [Kexe Aydos kitap-ti berip tur-han] adam Tilek.
[昨日 アイドス 本-を 貸し-た (連体形)] 人 ティレック
'昨日アイドスが本を貸した人は、ティレックです。'

(20) [Kexe Aydos-ting kitap-ti berip tur-han] adam-i
[昨日 アイドスの 本-を 貸し-た (連体形)] 人-PoP.3
Tilek.

ティレック

'昨日アイドスの本を貸した人は、ティレックです。'

　カザフ語では、ウイグル語と同じように、また、日本語と異なり、「の」主語と「を」目的語が共起できます。

　最後に、カザフ語には、話題の「は」が存在するかどうか見てみましょう。これまで見てきたどの例においても、主語に、日本語の「は」に当たるような助詞が付いていません。母語話者に確認しても、そのような助詞は存在しないということです。したがって、カザフ語には、話題の「は」が存在しないようです。

　上記のことから、カザフ語は、日本語に特有な特徴を二つ持っていることが分かります。それは、SOV の語順と「の」主語です。これを、これまでわかっている事実とともに、表にまとめてみましょう。

(21)　各言語の特徴

言語	語順：SOV	「の」主語	話題の「は」	主語と動詞の一致
日本語	✓	✓	✓	＊
中国語	＊	？	＊	＊
英語	＊	＊	＊	✓
ウルドゥ語	✓	✓	＊	✓
ベンガル語	✓	✓	＊	✓
モンゴル語	✓	✓	✓	＊
満州語	✓	✓	✓	＊
シベ語	✓	✓	✓	＊
延辺語	✓	✓	✓	＊
ウイグル語	✓	✓	✓	✓
ウズベク語	✓	✓	＊	✓
カザフ語	✓	✓	＊	✓

このことから、カザフ語は、まあまあ日本語と似ていると言うことができそうです。

12章　チベット語

言いたいこと：**かなり日本語。**

　チベット語は、シナ・チベット語族のチベット・ビルマ語派チベット諸語に属し、中国のチベット自治区、甘粛省、青海省、四川省、インド北部とパキスタン北東部に広がるカシミール地方、ネパール、ブータン等で話されています。チベット語には、大きく、三つの方言があり、それらは、ラサ方言を含むウーツァン方言、カム方言、アムド方言です。本章のチベット語の例は、アムド方言母語話者のドルジェッツォ氏に提供していただきました。アムド方言は、主に中国の甘粛省、青海省、四川省で使用されています。以下で見るように、チベット語も、かなり日本語と同じ性質を持っています。

　チベット語は、日本語と異なり、能格言語です。したがって、他動詞の主語は特別で、自動詞の主語と他動詞の目的語が、同じように振る舞います。(1) は、自動詞の例、(2) と (3) は、他動詞の例です。(2) は、直接目的語、(3) は、間接目的語と直接目的語を取る動詞を含んでいます。(2) と (3) には、一つおもしろい点があります。それは、目的語 *dpecha-de*「その本」が、日本語と異なり、「本その」という語順になっていることです。

(1) Dering Bkrashis slebssong.

　　　今日　　タシ　　　来た

　　　'今日、タシが来た。'

(2) Bkrashis-kyis dpecha-de nyos.

　　　タシ-Erg　　　本-その　　買った

　　　'タシがその本を買った。'

(3) Bkrashis-kyis Sgrolma-la dpecha-de byin.

　　　タシ-Erg　　　ドルマ-に　本-その　　あげた

　　　'タシがドルマにその本をあげた。'

(2) と (3) が示す通り、他動詞の主語には、能格助詞 *-kyis* が付いています。もし他動詞の主語に能格助詞 *-kyis* が付かなければ、文は、(4) で示すように、非文になります。

(4) *Bkrashis dpecha-de nyos.

　　　タシ　　　本-その　　　買った

　　　'タシがその本を買った。'

同様に、もし自動詞の主語に能格助詞 *-kyis* が付いたら、文は、(5) で示すように、非文となります。

(5) *Dering Bkrashis-kyis slebssong.

　　　今日　　タシ-Erg　　　来た

　　　'今日、タシが来た。'

　では、チベット語が能格言語であることが分かったところで、4 つの性質を見ていきます。分かりやすいように、語順、主語と動詞の一致、「の」主語、そして、話題の「は」の順に見ていきます。

　まず、語順は、すでに (2) で見たように、SOV です。単文では、全く

日本語と同じ語順になっています。埋め込み文を含む文においても、日本語と同じ語順になっています。埋め込み文の最後には、日本語と異なり、主文の動詞によって、補文化標識の *zhes*「と」が付けられる場合と、付けられない場合があります。

 (6) Bkrashis-kyis [Sgrolms dpecha-de bklags zhes] bshad.
    タシ-Erg   [ドルマ.Erg 本-その 読んだ と] 言った
    'タシが、ドルマがその本を読んだと言った。'

 (7) Sgrolmas [Bkrashis-kyis dpecha-de nyos] snyam yod.
    ドルマ.Erg [タシ-Erg   本-その 買った] 思っている
    'ドルマが、タシがその本を買ったと思っている。'

主文の動詞が、(6) では、*bshad*「言った」、(7) では、*snyam yod*「思っている」で、(6) の場合には、補文化標識の *zhes*「と」が現れますが、(7) の場合には、現れません。

 (6) と (7) では、一点注意すべき点があります。それぞれ、埋め込み文と主文の主語の *Sgrolmas* は、人物名 *Sgrolma*「ドルマ」に、能格助詞 *-kyis* が組み込まれていて、名前の最後に *s* が付いています。人物名が *Sgrolma*「ドルマ」であることは、(3) を見ると分かります。

 (3) Bkrashis-kyis Sgrolma-la dpecha-de byin.
    タシ-Erg   ドルマ-に 本-その あげた
    'タシがドルマにその本をあげた。'

(3) では、*Sgrolma*「ドルマ」に *-la*「に」が付いています。
 また、関係節を含む文も、語順は、日本語と全く同じです。

 (8) Sgrolmas [naning Bkrashis-kyis bris]-b'i dpecha
    ドルマ.Erg [去年 タシ-Erg   書いた]-の 本

bklags.

読んだ

'ドルマが、去年タシが書いた本を読んだ。'

ただし、関係節とそれが修飾する名詞の間に、-b'i「の」が入ります。この点は、以下で見るように、中国語と同じです。

(9) [Xingqiliu Zhangsan mai]-de shu shi zhe ben.

　　 [土曜日　　張三　　　買う]-の　本　だ　この　冊

　　 '土曜日に張三が買った本は、この本だ。'

　　 星期六张三买的书是这本。

　　 星期六張三買的書是這本。

中国語では、関係節とそれが修飾する名詞の間に、-de「的＝の」が入ります。

　次に、主語と動詞の一致があるかどうか見てみましょう。以下の例を見てください。

(10) a.　Ngas　　　　dpecha-de nyos.

　　　　 1.Sg.F.Erg　本-その　　買った

　　　　 '私がその本を買った。'

　　 b.　Ngas　　　　dpecha-de nyos.

　　　　 1.Sg.M.Erg　本-その　　買った

　　　　 '私がその本を買った。'

　　 c.　Khyod-kyis dpecha-de nyos　　sam?

　　　　 2.Sg.F-Erg　本-その　　買った　Q

　　　　 'あなたがその本を買ったの？'

　　 d.　Khyod-kyis dpecha-de nyos　　sam?

　　　　 2.Sg.M-Erg　本-その　　買った　Q

　　　　 'あなたがその本を買ったの？'

e. Khomos　　　dpecha-de　nyos.
　　3.Sg.F.Erg　本-その　　買った
　　'彼女がその本を買った。'

f. Khos　　　　dpecha-de　nyos.
　　3.Sg.M.Erg　本-その　　買った
　　'彼がその本を買った。'

g. Ngatshos　dpecha-de　nyos.
　　1.Pl.Erg　本-その　　買った
　　'私たちがその本を買った。'

h. Khyodtshos　dpecha-de　nyos　　sam?
　　2.Pl.F.Erg　本-その　　買った　Q
　　'あなた方がその本を買ったの？'

i. Khyodtshos　dpecha-de　nyos　　sam?
　　2.Pl.M.Erg　本-その　　買った　Q
　　'あなた方がその本を買ったの？'

j. Khomotshos　dpecha-de　nyos.
　　3.Pl.F.Erg　本-その　　買った
　　'彼女らがその本を買った。'

k. Khotshos　　dpecha-de　nyos.
　　3.Pl.M.Erg　本-その　買った
　　'彼らがその本を買った。'

最も普通に聞こえる文になるように、主語が2人称の時は、疑問文にし、その他の文は、すべて平叙文にしてあります。以上の例から明らかなように、チベット語では、日本語と同様、主語と動詞の一致が見えず、主語の人称、性別、単数か複数かによって、動詞の形が全く変わりません。

　続いて、チベット語には、「の」主語が存在するかどうか見てみましょう。実は、以下で見るように、チベット語には、「の」主語がありません。

まず、チベット語の「の」は、(11) で見るように、-kyi です。

   (11) Bkrashis-kyi dpecha
         タシ-の   本
         'タシの本'

関係節の主語に「の」主語が現れるかどうか、まずは、「の」主語を伴わない自動詞と他動詞の例を見てみます。

   (12) [Dering Bkrashis thon]-pa'i   dustshod-ni phyid-ro'i
         [今日   タシ   着いた]-の 時間-Top   午前-の
         dustshod 8 red.
         8 時   です
         '今日タシが着いた時間は、午前 8 時です。'

   (13) Sgrolmas   [naning Bkrashis-kyis bris]-b'i   dpecha
         ドルマ.Erg [去年   タシ-Erg   書いた]-の 本
         bklags.
         読んだ
         'ドルマが、去年タシが書いた本を読んだ。'

(12) では、自動詞の主語として、*Bkrashis* が現れ、(13) では、他動詞の主語として、能格助詞を伴い、*Bkrashis-kyis* が現れています。では、「の」主語となるように、*Bkrashis* に -kyi を付けてみます。

   (14) *[Dering Bkrashis-kyi thon]-pa'i   dustshod-ni phyid-ro'i.
         [今日   タシ-の   着いた]-の 時間-Top   午前-の
         dustshod 8   red
         8 時   です
         '今日タシが着いた時間は、午前 8 時です。'

(15) *Sgrolmas　　[naning　Bkrashis-kyi　bris]-b'i　　dpecha
　　　ドルマ.Erg [去年　　タシ-の　　　書いた]-の　本
　　　bklags.
　　　読んだ
　　　'ドルマが、去年タシが書いた本を読んだ。'

全く正しくない文となってしまいます。したがって、チベット語には、
「の」主語がないということになります。
　最後に、チベット語には、話題の「は」が存在するかどうか見てみま
しょう。すでに (12) で見たように、チベット語には、話題の「は」-ni が
存在します。

(12)　[Dering　Bkrashis thon]-pa'i　dustshod-ni　phyid-ro'i
　　　[今日　　タシ　　着いた]-の　時間-Top　　午前-の
　　　dustshod 8　red.
　　　8 時　　　　です
　　　'今日タシが着いた時間は、午前8時です。'

ただし、一点、注意すべき点があります。それは、日本語と異なり、他動
詞の主語には、話題の「は」-ni を付けることができないということです。
第1章で見たように、日本語では、主語でも目的語でも、文頭にあれば、
話題の「は」を付けることができます。

(16)　たけしは、『フランス座』という本を　書いた。

(17)　『フランス座』という本は、たけしが、書いた。

(16) では、その文が出てくる直前までの会話の中で、たけしについて、
何かすでに話されていて、「たけしはね」という具合に、文の先頭に出て
きています。(17) では、その文が出てくる直前までの会話の中で、『フラ
ンス座』という本について、何かすでに話されていて、「『フランス座』と

いう本はね」という具合に、文の先頭に出てきています。では、チベット語の例を見てみましょう。(18) と (19) は、それぞれ、自動詞と他動詞を持つ文です。

(18) Bkrashis nyihong-la budsong.
  タシ 日本-に 行った
  'タシが日本に行った。'

(19) Bkashis-kyis dpecha-de nyos.
  タシ-Erg 本-その 買った
  'タシがその本を買った。'

では、主語に、話題の「は」に相当する -ni を付けてみましょう。

(20) Bkrashis-ni nyihong-la budsong.
  タシ-Top 日本-に 行った
  'タシは、日本に行った。'

(21) *Bkashis-ni dpecha-de nyos.
  タシ-Top 本-その 買った
  'タシは、その本を買った。'

(20) は完璧な文ですが、(21) は、全くだめな文です。つまり、チベット語においては、他動詞の主語は、話題になることができないということです。注意深い読者の方は、(21) の非文法性は、能格助詞の -kyis がないことに由来しているのではないかと思うかもしれません。しかしながら、以下で見るように、-kyis があっても、他動詞の主語に話題の「は」-ni が付くと、非文になってしまいます。

(22) *Bkashis-kyis-ni dpecha-de nyos.
  タシ-Erg-Top 本-その 買った

'タシは、その本を買った。'

(23) *Bkashis-ni-kyis dpecha-de nyos.

　　タシ-Top-Erg　本-その　　買った

　　'タシは、その本を買った。'

ところが、目的語を文頭に持ってきて、それに話題の「は」-*ni* を付けると、その文は、完璧な文になります。

(24) Dpecha-de Bkashis-kyis *t* nyos.

　　本-その　　タシ-Erg　　　　買った

　　'その本を、タシが買った。'

(25) Dpecha-de-ni Bkashis-kyis *t* nyos.

　　本-その-Top　タシ-Erg　　　　買った

　　'その本は、タシが買った。'

(25) では、その文が出てくる直前までの会話の中で、その本について、何かすでに話されていて、「その本はね」という具合に、文の先頭に出てきています。そして、(25) は、チベット語として、完璧な文です。

　そうなると、チベット語は、話題の「は」-*ni* を持っているが、それは、日本語と異なって、他動詞の主語には、付けない性質を持っているということになります。(12) が完璧な文であることも、このことから説明が付きます。(12) において -*ni* が付いているのは、他動詞ではない動詞 *red*「です」の主語なのです。英語で言えば、*be* 動詞ということになります。

(12) [Dering Bkrashis thon]-pa'i dustshod-ni phyid-ro'i

　　[今日　タシ　着いた]-の　時間-Top　午前-の

　　dustshod 8 red.

　　8時　　　です

　　'今日タシが着いた時間は、午前8時です。'

では、なぜ、チベット語では、他動詞の主語には、話題の「は」-ni が付けられないのでしょうか？　これは、一つの仮説ですが、能格言語においては、能格が心から重要な働きをしていて、それが、-ni によって消されたり、-ni と共起すると、本来主語に能格助詞を持たなければならない他動詞と、気まずくなる、あるいは、相性が良くなくなるということが起きている可能性があります。なぜ、チベット語では、他動詞の主語には、話題の「は」-ni が付けられないのか、この初歩的な仮説を超えて、本当の解答が見つかった方は、教えてください。

　上記のことから、チベット語は、日本語に特有な特徴を三つ持っていることが分かります。それは、SOV の語順、話題の「は」、そして、主語と動詞の一致がないことです。これを、これまでわかっている事実とともに、表にまとめてみましょう。

(26)　各言語の特徴

言語	語順：SOV	「の」主語	話題の「は」	主語と動詞の一致
日本語	✓	✓	✓	*
中国語	*	?	*	*
英語	*	*	*	✓
ウルドゥ語	✓	✓	*	✓
ベンガル語	✓	✓	*	✓
モンゴル語	✓	✓	✓	*
満州語	✓	✓	✓	*
シベ語	✓	✓	✓	*
延辺語	✓	✓	✓	*
ウイグル語	✓	✓	✓	✓
ウズベク語	✓	✓	*	✓
カザフ語	✓	✓	*	✓
チベット語	✓	*	✓	*

このことから、チベット語は、かなり日本語と似ていると言うことができ
そうです。

13章　土家語

言いたいこと：**かなり日本語。**

　土家語（トゥチャ語）は、チベット・ビル
マ語派の言語で、中国の湖南省、湖北省、貴
州省、重慶市などで話されています。本章
の土家語の例は、すべて、彭子桐（Peng
Zitong）氏に提供していただきました。その
例に基づき、Wang and Maki（2019）が土
家語の特徴を調査し、本章では、その重要点
をまとめて示します。右の写真は、土家族の
伝統的民族衣装です。

土家族の民族衣装
（王少鴿氏提供）

　土家語も、以下で見るように、かなり日本
語と同じ性質を持っています。土家語は、チ
ベット語同様、能格言語です。したがって、他動詞の主語は特別で、自動
詞の主語と他動詞の目的語が、同じように振る舞います。(1) は、自動詞
の例、(2) と (3) は、他動詞の例です。(2) は、直接目的語、(3) は、間
接目的語と直接目的語を取る動詞を含んでいます。

(1)　Pusinie Jiexi　ju.
　　　昨日　　ジェシ　来た

'昨日ジェシが来た。'

(2)　Pusinie Jiexi-gu　　gei　cipu　shupuji.

　　昨日　　ジェシ-Erg　その　本　　買った

　　'昨日ジェシがその本を買った。'

(3)　Pusinie Jiexi-gu　　Susu-bo gei　cipu　ru.

　　昨日　　ジェシ-Erg　スス-に　その　本　　あげた

　　'昨日ジェシがススにその本をあげた。'

(2) と (3) が示す通り、他動詞の主語には、能格助詞 -gu が付いています。ただし、チベット語と異なり、他動詞の主語に能格助詞 -gu が付かなくても、以下で示すように、正しい文のままです。

(4)　Pusinie Jiexi　　gei　cipu　shupuji.

　　昨日　　ジェシ　その　本　　買った

　　'昨日ジェシがその本を買った。'

(5)　Pusinie Jiexi　　Susu-bo gei　cipu　ru.

　　昨日　　ジェシ　スス-に　その　本　　あげた

　　'昨日ジェシがススにその本をあげた。'

一方、もし自動詞の主語に能格助詞 -gu が付いたら、チベット語と同様に、非文となります。（ただし、本章の最後に、再度、以下の例を見ます。）

(6)　*Pusinie Jiexi-gu　　ju.

　　昨日　　ジェシ-Erg　来た

　　'昨日ジェシが来た。'

では、土家語が能格言語であることが分かったところで、4つの性質を見ていきます。分かりやすいように、語順、主語と動詞の一致、「の」主

語、そして、話題の「は」の順に見ていきます。

　まず、語順は、すでに（2）で見たように、SOV です。単文では、全く日本語と同じ語順になっています。ところが、おもしろいことに、埋め込み文を含む文においては、もともとは、SOV ですが、おそらく、分かりやすさのために、埋め込み文の O が文頭に出てきています。さらに、その埋め込み文の中においても、分かりやすさのために、O が埋め込み文の先頭に出てきています。また、日本語の「と」に当たる補文化標識が、埋め込み文に付きます。

(7) [Gei　　cipu　Jiexi-gu　　baboxi bo] Susu　songna.
　　[その　　本　　ジェシ-Erg　読んだ　と] スス　思っている
　　'ススが、ジェシがその本を読んだと思っている。'

(8) [Gei　　cipu　Jiexi-gu　　baboxi　bo] Susu　lu.
　　[その　　本　　ジェシ-Erg　読んだ　と] スス　言った
　　'ススが、ジェシがその本を読んだと言った。'

　続いて、関係節を見てみましょう。関係節を含む文も、語順は、日本語と全く同じです。（9）は、関係節内部の動詞が、自動詞の場合、（10）は、関係節内部の動詞が、他動詞の場合です。

(9) [Pusinie Jiexi　　ju]　　haoci-mai yaohutei shiqi ducu hi.
　　[昨日　　ジェシ 来た] 時間-Top　午前　　8　　時　　です
　　'昨日ジェシが来た時間は、午前 8 時です。'

(10) [Pusinie Jiexi-gu　　　shupuji] cipu-mai edi　cipu hi.
　　[昨日　　ジェシ-Erg 買った] 本-Top　この　本　　です
　　'昨日ジェシが買った本は、この本です。'

おもしろいことに、関係節内部の動詞が他動詞の場合、もう一つ関係節を

作る方法があります。それは、他動詞にある要素を付け加え、あたかも自動詞であるかのようにしてしまうという方法です。それが、次の例です。

(11)　[Pusinie Jiexi　yi-shupuji]　　cipu-mai edi　cipu hi.
　　　[昨日　ジェシ Anti.Pass-買った 本-Top　この　本　です
　　　'昨日ジェシが買った本は、この本です。'

(11) では、他動詞 *shupuji*「買った」の前に、*yi* という要素を付けて、他動詞なのに、他動詞ではないような形にしてしまいます。専門用語では、逆受動態（Anti-Passive）要素と言いますが、その用語自体は、重要ではありません。この *yi* という要素によって、他動詞が、自動詞のように変えられてしまったので、(11) の関係節内部の主語には、能格助詞の *-gu* を付けることができません。付けると、非文になってしまいます。

(12) *[Pusinie Jiexi-gu　　yi-shupuji]　　cipu-mai edi　cipu
　　　[昨日　ジェシ-Erg Anti.Pass-買った] 本-Top　この　本
　　　hi.
　　　です
　　　'昨日ジェシが買った本は、この本です。'

同じことが、関係節の中に主語と目的語を含む場合にも生じます。

(13)　[Pusinie Jiexi-gu　　gei　cipu shupu] yuanyin-mai edi
　　　[昨日　ジェシ-Erg その　本　買った] 理由-Top　　この
　　　yuanyin hi.
　　　理由　　です
　　　'昨日ジェシがその本を買った理由は、この理由です。'

(14)　[Pusinie Jiexi　gei　cipu yi-shupu]　　yuanyin-mai
　　　[昨日　ジェシ その　本　Anti.Pass-買った] 理由-Top

edi   yuanyin hi.

この 理由   です

‘昨日ジェシがその本を買った理由は、この理由です。’

もちろん、(14)では、関係節内部の動詞は、すでに他動詞ではなくなっているので、その主語に能格助詞を付けると、非文になります。

(15) *[Pusinie Jiexi-gu   gei   cipu yi-shupu]

　　　[昨日   ジェシ-Erg その 本   Anti.Pass-買った]

　　　yuanyin-mai edi   yuanyin hi.

　　　理由-Top   この 理由   です

　　　‘昨日ジェシがその本を買った理由は、この理由です。’

　次に、主語と動詞の一致があるかどうか見てみましょう。以下の例を見てください。

(16) a. Nga nasnie hane Jiexi-bo   ba(ge).

　　　　私   毎日   ジェシ-に 見る

　　　　‘私は、毎日ジェシを見ます。’

　　 b. Nie   nasnie hane Jiexi-bo   ba(ne) a?

　　　　あなた 毎日   ジェシ-に 見る   Q

　　　　‘あなたは、毎日ジェシを見ますか？’

　　 c. Adi   monie nasnie hane Jiexi-bo   (ge)ba.

　　　　あの 女性 毎日   ジェシ-に 見る

　　　　‘彼女は、毎日ジェシを見ます。’

　　 d. Adi   noba nasnie hane Jiexi-bo   (ge)ba.

　　　　あの 男性 毎日   ジェシ-に 見る

　　　　‘彼は、毎日ジェシを見ます。’

　　 e. Ga   nasnie hane Jiexi-bo   ba(he).

　　　　私たち 毎日   ジェシ-に 見る

‘私たちは、毎日ジェシを見ます。’

 f. Se   nasnie hane Jiexi-bo ba(se) na?

   あなたたち　毎日　　　　ジェシ-に　見る　　Q

   ‘あなた方は、毎日ジェシを見ますか？’

 g. Gise nasnie hane Jiexi-bo (ge)ba.

   彼女ら　　毎日　　　　ジェシ-に　見る

   ‘彼女らは、毎日ジェシを見ます。’

 h. Gise nasnie hane Jiexi-bo (ge)ba.

   彼ら　毎日　　　　ジェシ-に　見る

   ‘彼らは、毎日ジェシを見ます。’

最も普通に聞こえる文になるように、主語が 2 人称の時は、疑問文にし、その他の文は、すべて平叙文にしてあります。（　）の中にある要素は、あってもなくてもいいものです。もし、すべてないとすれば、土家語では、日本語と同様、主語と動詞の一致が見えず、主語の人称、性別、単数か複数かによって、動詞の形が全く変わらないことになります。一方、（　）の中にある要素がすべてあるとすれば、その要素は、人称によって少しずつ異なります。ただし、三人称においては、主語の性別と単数か複数かによって、動詞の形が全く変わりません。このことから完全な結論を導き出すことはなかなか難しいですが、だいたいにおいて、土家語では、主語と動詞の一致がない傾向にあると言えるかもしれません。

　一点、(16) の例に関して、注意することがあります。動詞 ba「見る」は、すぐ左隣に -bo「に」が現れています。この -bo「に」は、(3) の例で見ました。

 (3) Pusinie Jiexi-gu Susu-bo gei cipu ru.

   昨日　　ジェシ-Erg　スス-に　その　本　　あげた

   ‘昨日ジェシがススにその本をあげた。’

また、(16c, d) の主語を見ると、能格助詞の *-gu* がついていません。そうなると、動詞 *ba*「見る」は、自動詞の特徴を持っていることになります。ただし、意味は、「誰か・何かを見る」であるので、他動詞の特徴も持っていると言えそうです。土家語母語話者の彭子桐氏によれば、動詞 *ba*「見る」の意味は、その主語が意志を持って「見る」、あるいは、「会う」というより、その主語が意志を持たずに「ちらっと見に行く」というような意味になるようです。

　続いて、土家語には、「の」主語が存在するかどうか見てみましょう。まず、土家語の「の」は、*-nie* です。

(17)　Jiexi-nie　cipu
　　　ジェシ-の　本
　　　'ジェシの本'

(9)-(11) の例の関係節内部にある主語を「の」主語に置き換えると、正しくない文となってしまいます。

(18)　*[Pusinie Jiexi-nie　ju]　haoci-mai yaohutei shiqi ducu hi.
　　　[昨日　ジェシ-の　来た] 時間-Top　午前　8　時　です
　　　'昨日ジェシが来た時間は、午前8時です。'

(19)　*[Pusinie Jiexi-nie　shupuji] cipu-mai edi　cipu　hi.
　　　[昨日　ジェシ-の　買った] 本-Top　この　本　です
　　　'昨日ジェシが買った本は、この本です。'

(20)　*[Pusinie Jiexi-nie　yi-shupuji]　cipu-mai edi　cipu hi.
　　　[昨日　ジェシ-の Anti.Pass-買った] 本-Top　この　本　です
　　　'昨日ジェシが買った本は、この本です。'

したがって、土家語には、「の」主語がないということになります。
　最後に、土家語には、話題の「は」が存在するかどうか見てみましょう。

すでに (9) と (10) で見たように、土家語には、話題の「は」があるよう
です。関係節の後の名詞の直後の -mai です。

(9) [Pusinie Jiexi　ju]　haoci-mai yaohutei shiqi ducu hi.
　　[昨日　ジェシ 来た] 時間-Top　午前　8　時　です
　　'昨日ジェシが来た時間は、午前8時です。'

(10) [Pusinie Jiexi-gu　shupuji] cipu-mai edi　cipu hi.
　　[昨日　ジェシ-Erg　買った] 本-Top　この 本　です
　　'昨日ジェシが買った本は、この本です。'

すでに見たように、チベット語でも、同じ環境で、話題の「は」の -ni が
付くことができます。

(21) [Dering Bkrashis thon]-pa'i　dustshod-ni phyid-ro'i
　　[今日　タシ　着いた]-の 時間-Top　午前-の
　　dustshod 8　red.
　　8時　　です
　　'今日タシが着いた時間は、午前8時です。'(チベット語)

ほかにも、以下の例は、土家語には、話題の「は」があることを示して
います。(24) の例が決定打です。

(22) Jiexi-gu　edi　cipu shupu.
　　ジェシ-Erg この 本　買った
　　'ジェシがこの本を買った。'

(23) Edi　cipu Jiexi-gu　shupu.
　　この 本　ジェシ-Erg 買った
　　'この本を、ジェシが買った。'

116

(24) Edi cipu-mai Jiexi-gu   shupu.
    この 本-Top   ジェシ-Erg 買った
    'この本は、ジェシが買った。'

おもしろいことに、この話題の「は」の *-mai* は、日本語と違って、比較の「は」として機能しません。文中の目的語に付くと、非文になってしまいます。

(25) *Jiexi-gu   edi cipu-mai shupu.
    ジェシ-Erg この 本-Top   買った
    'ジェシがこの本は買った。'

　さらに、この話題の「は」の *-mai* は、日本語と違って、他動詞の主語には付くことができません。

(26) *Jiexi-mai   edi cipu shupu.
    ジェシ-Top この 本   買った
    'ジェシは、この本を買った。'

これは、チベット語の (27) と同じ状況で、能格助詞の *-gu* が、他動詞の主語には、どうしても必要であるため、話題の「は」の *-mai* が付くことができないように見えます。

(27) *Bkashis-ni dpecha-de nyos.
    タシ-Top   本−その   買った
    'タシは、その本を買った。'（チベット語）

　一方、自動詞の主語には、話題の「は」の *-mai* が付くことができます。

(28) Jiexi-mai   pusinie ju.
    ジェシ-Top 昨日   来た
    'ジェシは昨日来た。'

すでに見たように、チベット語でも、自動詞の主語に、話題の「は」の -ni が付くことができます。

(29)　Bkrashis-ni　nyihong-la　budsong
　　　タシ-Top　　日本-に　　行った
　　　'タシは、日本に行った。'（チベット語）

したがって、土家語の -mai は、話題の「は」を表す助詞であると言えそうです。

　本章を離れる前に、土家語の能格助詞の -gu に関するおもしろい現象を一つお知らせしたいと思います。この章の始めに、自動詞の主語には、能格助詞の -gu が付くことができないと習いました。以下の例です。

(6)　*Pusinie　Jiexi-gu　　ju.
　　　昨日　　ジェシ-Erg　来た
　　　'昨日ジェシが来た。'

能格助詞は、他動詞の主語に付くという性質があるので、これは、当然のことです。しかしながら、詳細に調査をしていくと、驚くことに、(6) が、正しい文である状況があることが分かりました。それは、ススではなく、ジェシがというように、自動詞の主語に焦点が当たっている場合、(6) は、(30) のように、完璧な文と判断されます。

(30)　Pusinie　Jiexi-gu　　ju.
　　　昨日　　ジェシ-Erg　来た
　　　'昨日（ススではなく）ジェシが来た。'

つまり、能格助詞の -gu が、まるで、日本語の強調の「が」の機能を持っているようなのです。

(31)　昨日、きよしではなく、たけしが来た。

118

これは、大変おもしろい状況です。土家語の能格助詞の -*gu* は、「グ」、あるいは、「ガ」のように発音されます。この強調の -*gu* が、能格助詞とは全く異なる、同音異義語の助詞かどうか確認してみましょう。もしそうであれば、目的語に -*gu* が付いても、その目的語が強調されるだけなので、全く問題ないはずです。しかし、土家語では、以下の例に見られるように、強調の -*gu* は、目的語に付くことはできません。

(2) Pusinie Jiexi-gu   gei cipu shupuji.
    昨日   ジェシ-Erg その 本   買った
    '昨日ジェシがその本を買った。'

(32) *Pusinie Jiexi-gu   gei cipu-gu shupuji.
    昨日   ジェシ-Erg その 本-GU   買った
    '昨日ジェシが（別の本ではなく）その本を買った。'

(33) *Gei cipu-gu pusinie Jiexi-gu   shupuji.
    その 本-GU   昨日   ジェシ-Erg 買った
    '昨日ジェシが（別の本ではなく）その本を買った。'

そうなると、-*gu* は、やはり、能格助詞で、目的語には付くことができず、自動詞の主語に付く時は、強調の意味を持つと仮定してもいいかもしれません。

そこで、再度、自動詞の例を見てみると、

(30) Pusinie Jiexi-gu   ju.
    昨日   ジェシ-Erg 来た
    '昨日（ススではなく）ジェシが来た。'

まさに日本語の強調の「が」と似ているように見えます。その発音も、「ガ」に近い音です。

ここからは、完全なる空想の世界ですが、このようなことが起きている

かもしれません。土家語は、能格言語です。世界の言語は、能格言語から対格言語に、つまりは、チベット語や土家語が持つ性質から、日本語やモンゴル語が持つ性質に変化することは、よくあることのようです。そうなると、現代土家語は、能格言語でありながら、自動詞の主語に、強調の意味があるとはいえ、能格助詞の *-gu* を持つことができ、これは、見方によっては、土家語内部において、能格言語の性質に、対格言語の性質が加わりつつあることを示しているのかもしれません。もちろん、これは、空想の話で、この見方が正しいかどうかは、分かりません。今後、読者の方々の中から、この仮説を検証してくださる方が現れることを期待しています。

　それでは、この章をまとめます。上記のことから、土家語は、日本語に特有な特徴を三つ持っていることが分かります。それは、SOV の語順、話題の「は」、そして、主語と動詞の一致が（ほぼ）ないことです。これを、これまでわかっている事実とともに、表にまとめてみましょう。

(34) 各言語の特徴

言語	語順：SOV	「の」主語	話題の「は」	主語と動詞の一致
日本語	✓	✓	✓	*
中国語	*	?	*	*
英語	*	*	*	✓
ウルドゥ語	✓	✓	*	✓
ベンガル語	✓	✓	*	✓
モンゴル語	✓	✓	✓	*
満州語	✓	✓	✓	*
シベ語	✓	✓	✓	*
延辺語	✓	✓	✓	*
ウイグル語	✓	✓	✓	✓
ウズベク語	✓	✓	*	✓
カザフ語	✓	✓	*	✓
チベット語	✓	*	✓	*
土家語	✓	*	✓	*

このことから、土家語は、かなり日本語と似ていると言えそうです。

14章　ナシ語

言いたいこと：**まあまあ日本語。**

　ナシ語（納西語）は、チベット・ビルマ語族に属し、中国の雲南省、四川省、チベット自治区などで話されています。ナシ族はトンパ文字（東巴文字）という象形文字を持っています。ただし、トンパ文字は、宗教的に使用されますが、日常生活では使用されていません。本章のナシ語の例は、すべて、和玲莉（Hoq Liqlil）氏、和琼（Hoq Qeq）氏、和丽昆（Hoq Likui）氏に提供していただきました。

　ナシ語は、以下で見るように、まあまあ日本語と同じ性質を持っています。ナシ語は、土家語同様、能格言語です。したがって、他動詞の主語は特別で、自動詞の主語と他動詞の目的語が、同じように振る舞います。(1) は、自動詞の例、(2) と (3) は、他動詞の例です。(2) は、直接目的語、(3) は、間接目的語と直接目的語を取る動詞を含んでいます。(2) と (3) には、一つおもしろい点があります。それは、目的語 *teiqee achi*「その本」が、日本語と異なり、「本その」という語順になっていることです。

　　(1)　Anhi Hoqjui　 ceeqye.
　　　　　昨日　ホジュン　来た
　　　　　'昨日ホジュンが来た。'

(2)　Anhi　Hoqjui-nee　　teiqee achi　be　teiqhaiseiq.
　　　昨日　ホジュン-Erg　本　　その　冊　買った
　　　'昨日ホジュンがその本を買った。'

(3)　Anhi　Hoqjui-nee　　teiqee achi　be　Wefai　　　guren.
　　　昨日　ホジュン-Erg　本　　その　冊　ウィファン　あげた
　　　'昨日ホジュンがその本をウィファンにあげた。'

(2) と (3) が示す通り、他動詞の主語には、能格助詞 -nee が付いています。ただし、土家語同様、他動詞の主語に能格助詞 -nee が付かなくても、以下で示すように、正しい文のままです。

(4)　Anhi　Hoqjui　　teiqee achi　be　teiqhaiseiq.
　　　昨日　ホジュン　本　　その　冊　買った
　　　'昨日ホジュンがその本を買った。'

(5)　Anhi　Hoqjui　　teiqee achi　be　Wefai　　　guren.
　　　昨日　ホジュン　本　　その　冊　ウィファン　あげた
　　　'昨日ホジュンがその本をウィファンにあげた。'

一方、もし自動詞の主語に能格助詞-nee が付いたら、土家語と同様に、非文となります。

(6)　*Anhi Hoqjui-nee　　ceeqye.
　　　昨日　ホジュン-Erg　来た
　　　'昨日ホジュンが来た。'

一点注意することがあります。前章で見たように、土家語においては、(6) の構造は、自動詞の主語に焦点が当たっている場合は、文法的な文であると判断されます。しかしながら、ナシ語においては、土家語と異なり、自動詞の主語に焦点が当たっている場合においても、つまり、ウィ

ファンではなく、ホジュンが来たという意味であっても、非文のままです。なぜそうであるのかについては、まだ明らかになっていません。今後の調査に期待したいと思います。

　では、ナシ語が能格言語であることが分かったところで、4つの性質を見ていきます。分かりやすいように、語順、主語と動詞の一致、「の」主語、そして、話題の「は」の順に見ていきます。

　まず、語順は、すでに（2）で見たように、SOVです。単文では、全く日本語と同じ語順になっています。ところが、おもしろいことに、埋め込み文を含む文においては、ウルドゥ語やベンガル語のようにSVOになります。同時に、SOVも可能です。ただし、SVOのほうがより普通です。さらに、日本語の「と」に当たる補文化標識は、埋め込み文に付いていません。

SVO

(7)　Anhi　Hoqjui-nee　　svttvmei　[Wefai　　　　mailcheelibailseil
　　　昨日　ホジュン-Erg　思った　　[ウィファン　来週
　　　leezoqzeel].
　　　来る]
　　　'昨日、ホジュンが、ウィファンが来週来るだろうと思った。'

(8)　Anhi　Hoqjui-nee　　shelmei　　[Wefai　　　　mailcheelibailseil
　　　昨日　ホジュン-Erg　言った　　[ウィファン　来週
　　　leezoqzeel].
　　　来る]
　　　'昨日、ホジュンが、ウィファンが来週来るだろうと言った。'

SOV

(9) Anhi Hoqjui-nee [Wefai mailcheelibailseil leezoqzeel]
昨日 ホジュン-Erg [ウィファン 来週 来る]

seettv.
思った

'昨日、ホジュンが、ウィファンが来週来るだろうと思った。'

(10) Anhi Hoqjui-nee [Wefai mailcheelibailseil leezoqzeel]
昨日 ホジュン-Erg [ウィファン 来週 来る]

shel.
言った

'昨日、ホジュンが、ウィファンが来週来るだろうと言った。'

一点注意することがあります。それは、動詞が文末に来た場合と、埋め込み文の前に来た場合では、動詞の形が少し変わっているということです。例えば、(9) では、*seettv*「思った」、(7) では、*svttvmei*「思った」となっています。実際には、*svttvmei* は、*svttv-mei* となっており、*mei* は、後ろにその動詞を補う文や形容詞などが来ることを示す助詞です。(11) では、*mei* の後に、形容詞が来る例です。

(11) Hoqjui jji-mei jjaif chuq.
ホジュン 走る-MEI とても 速い
'ホジュンは、とても速く走る。'
='ホジュンは、走るのがとても速い。'

実は、この *mei* という助詞は、中国語の助詞の<u>得</u>と似ています。中国語でも、<u>得</u>の後にその前にある動詞を補う形容詞や文が来ます。

(12) Zhangsan zou-de hen kuai.
張三 走る-DE とても 速い

‘張三は、とても速く走る。’
　＝‘張三は、走るのがとても速い。’
张三走得很快。
張三走得很快。

(13) Lisi jue-de 　　　[Zhangsan mai-le zhe ben shu].
　　　李四 感じる-DE [張三　　　　買っ-た この 冊　本]
　　　‘李四は、張三がこの本を買った気がした。’
　　　李四觉得张三买了这本书。
　　　李四覺得張三買了這本書。

そうなると、どうも、ナシ語の埋め込み文の構造は、中国語の埋め込み文の構造に影響を受けている可能性があるかもしれません。これは、さらに調査が必要であるため、影響を受けていると断言することは避けておきます。

　続いて、関係節を見てみましょう。関係節を含む文も、語順は、日本語と全く同じです。

(14) [Anhi Hoqjui 　　ceeqye]-gge rheeq tee 　meeseel dee
　　　[昨日　ホジュン　来た]-の　　　時間　それ　午前　　8
　　　bafdai waq.
　　　時　　です
　　　‘昨日ホジュンが来た時間は、午前8時です。’

(15) [Anhi Hoqjui-nee 　　zzeegge]-gge piqgo 　　tee 　chee liu
　　　[昨日　ホジュン-Erg 食べた]-の　　りんご　それ　この　もの
　　　waq.
　　　です
　　　‘昨日ホジュンが食べたりんごは、これです。’

ただし、関係節とそれが修飾する名詞の間に、-gge「の」が入ります。ナ
シ語の「の」は、以下で見るように、-gge です。

(16) Hoqjui-gge teiqee
ホジュン-の 本
'ホジュンの本'

この状況は、前章で見たように、チベット語と同じです。

(17) Sgrolmas [naning Bkrashis-kyis bris]-b'i dpecha
ドルマ.Erg [去年 タシ-Erg 書いた]-の 本
bklags.
読んだ
'ドルマが、去年タシが書いた本を読んだ。'

次に、主語と動詞の一致があるかどうか見てみましょう。以下の例を見
てください。

(18) a. Ou bucinibei Hoqjui duo.
私 毎日 ホジュン 見る
'私は、毎日ホジュンを見ます。'

b. Ni bucinibei Hoqjui a duo?
あなた 毎日 ホジュン Q 見る
'あなたは、毎日ホジュンを見ますか？'

c. Te bucinibei Hoqjui duo.
彼女 毎日 ホジュン 見る
'彼女は、毎日ホジュンを見ます。'

d. Tela bucinibei Hoqjui duo.
彼 毎日 ホジュン 見る
'彼は、毎日ホジュンを見ます。'

e. Age bucinibei Hoqjui <u>duo.</u>

私たち 毎日 ホジュン 見る

'私たちは、毎日ホジュンを見ます。'

f. Nage bucinibei Hoqjui a <u>duo?</u>

あなたたち 毎日 ホジュン Q 見る

'あなたがたは、毎日ホジュンを見ますか？'

g. Tage bucinibei Hoqjui <u>duo.</u>

彼女ら 毎日 ホジュン 見る

'彼女らは、毎日ホジュンを見ます。'

h. Tagela bucinibei Hoqjui <u>duo.</u>

彼ら 毎日 ホジュン 見る

'彼らは、毎日ホジュンを見ます。

最も普通に聞こえる文になるように、主語が2人称の時は、疑問文にし、その他の文は、すべて平叙文にしてあります。以上の例から明らかなように、ナシ語では、日本語と同様、主語と動詞の一致が見えず、主語の人称、性別、単数か複数かによって、動詞の形が全く変わりません。

続いて、ナシ語には、「の」主語が存在するかどうか見てみましょう。実は、以下で見るように、ナシ語には、「の」主語がありません。まず、ナシ語の「の」は、(16) で見たように、*-gge* です。

(16) Hoqjui-gge teiqee

ホジュン–の 本

'ホジュンの本'

(14) と (15) の例の関係節内部にある主語を「の」主語に置き換えると、正しくない文となってしまいます。

128

(19) *[Anhi Hoqjui-gge   ceeqye]-gge rheeq tee   meeseel dee
   [昨日 ホジュン-の 来た]-の   時間 それ 午前   8
   bafdai waq.
   時   です
   ‘昨日ホジュンが来た時間は、午前8時です。’

(20) *[Anhi Hoqjui-gge   zzeegge]-gge piqgo   tee   chee liu
   [昨日 ホジュン-の 食べた]-の   りんご それ この もの
   waq.
   です
   ‘昨日ホジュンが食べたりんごは、これです。’

したがって、ナシ語には、「の」主語がないということになります。
　最後に、ナシ語には、話題の「は」が存在するかどうか見てみましょう。
一見、(14) と (15) で見たように、ナシ語には、話題の「は」があるよう
に見えます。関係節の後の名詞の直後の -tee です。

(14) [Anhi Hoqjui   ceeqye]-gge rheeq tee   meeseel dee
   [昨日 ホジュン 来た]-の   時間 それ 午前   8
   bafdai waq.
   時   です
   ‘昨日ホジュンが来た時間は、午前8時です。’

(15) [Anhi Hoqjui-nee   zzeegge]-gge piqgo   tee   chee liu
   [昨日 ホジュン-Erg 食べた]-の   りんご それ この もの
   waq.
   です
   ‘昨日ホジュンが食べたりんごは、これです。’

しかし、この -tee は、代名詞で、(14) なら、「昨日ホジュンが来た時間、

それは、午前8時です。」、(15) なら、「昨日ホジュンが食べたりんご、それは、これです。」のように、前に来ている大きい名詞句を受けて、「それ」と言い直しています。したがって、「それ」は、代名詞だと考えられます。

　さらに、目的語を文の先頭に移動させて、前のコンテクストで話されていたという状況を作っても、話題の「は」に当たる助詞は、(21) に見られるように、現れません。

(21)　Teiqee chi　be Hoqjui-nee　　chuwa.
　　　 本　　 この 冊 ホジュン-Erg　読んだ
　　　 'この本は、ホジュンが読んだ。'

したがって、話題の「は」を表す助詞は、ナシ語には存在しないように思われます。

　上記のことから、ナシ語は、日本語に特有な特徴を二つ持っていることが分かります。それは、SOV の語順と主語と動詞の一致がないことです。これを、これまでわかっている事実とともに、表にまとめてみましょう。

(22)　各言語の特徴

言語	語順：SOV	「の」主語	話題の「は」	主語と動詞の一致
日本語	✓	✓	✓	*
中国語	*	?	*	*
英語	*	*	*	✓
ウルドゥ語	✓	✓	*	✓
ベンガル語	✓	✓	*	✓
モンゴル語	✓	✓	✓	*
満州語	✓	✓	✓	*
シベ語	✓	✓	✓	*
延辺語	✓	✓	✓	*
ウイグル語	✓	✓	✓	✓
ウズベク語	✓	✓	*	✓
カザフ語	✓	✓	*	✓
チベット語	✓	*	✓	*
土家語	✓	*	✓	*
ナシ語	✓	*	*	*

このことから、ナシ語は、まあまあ日本語と似ていると言えそうです。

15章　プイ語

言いたいこと：**ちょっと日本語。**

　プイ語（布依語）は、タイ・カダイ語族に属し、プイ族の人々によって、中国の貴州省南部などで話されています。現在、プイ族の人々は、プイ語を普段の会話で使い、文字は漢字を使っています。本章のプイ語の例は、すべて、王秀功（Wang Xiugong）氏に提供していただきました。その例に基づき、Jin and Maki（2019）がプイ語の特徴を調査し、本章では、その重要点をまとめて示します。右の写真は、プイ族の伝統的民族衣装です。

プイ族の民族衣装
（靳霊斗氏提供）

　プイ語は、以下で見るように、ほんの少しだけ日本語と同じ性質を持っています。というのも、プイ語は、タイ・カダイ語族に属する言語で、日本語が属するような言語グループとは系統が異なるからです。タイ語の基本語順は、中国語同様 SVO であるため、プイ語の基本語順も SVO です。

　それでは、これまでの章と同じように、プイ語の4つの性質を見ていきます。分かりやすいように、語順、主語と動詞の一致、「の」主語、そして、話題の「は」の順に見ていきます。では、まずは、語順から。単文

から見ていきましょう。

(1) Zangysany hanhndil Lijsiq.
張三　　　褒める　李四
'張三は、李四を褒めた。'（プイ語）

(1) は、他動詞を含む単文です。語順は、SVO となっています。まさに、タイ語と中国語と同じです。

(2) Somchai　　chom　Somying.
ソムチャーイ 褒める ソムイン
'ソムチャーイは、ソムイン を褒めた。'（タイ語）

(3) Zhangsan chengzan Lisi.
張三　　　褒める　李四
'張三は、李四を褒めた。'（中国語）
张三表扬了李四。
张三表扬了李四。

　続いて、埋め込み文を含む文を見てみましょう。以下では、プイ語の例を提示する際、中国語との類似点と相違点を明確にするために、中国語の例も並行して提示していきます。

(4) Zangysany kuan [Lisi xex　　deel　benc sel].
張三　　　言った [李四 買った その　冊　本]
'張三が、李四がその本を買ったと言った。'（プイ語）

やはり、主文は、SVO です。この場合、O＝埋め込み文です。もちろん、埋め込み文も SVO です。そして、英語と異なり、中国語と同様に、補文化標識の *that* に対応するものがありません。

(5)　Zhangsan shuo　[Lisi mai-le na　ben shu].
　　　張三　　　　言った　[李四　買った　その　冊　　本]
　　　'張三が、李四がその本を買ったと言った。'（中国語）
　　　张三说李四买了那本书。
　　　張三說李四買了那本書。

続いて、関係節を見てみましょう。

(6)　Sel [Lijsiq qyus laez raanz dianh xex]　　deengl neex
　　　本 [李四　で　　その　軒　　店　　買った] です　　この
　　　benc sel.
　　　冊　　本
　　　'李四がその店で買った本は、この本です。'（プイ語）

英語と同じように、関係節が、修飾する名詞の後ろに置かれています。こ
れは、全く中国語と異なる状況です。

(7)　[Lisi zai na　jia dian mai]　　de shu shi zhe ge shu.
　　　[李四　で　その　軒　店　　買った] の　本　　です この　冊　本
　　　'李四がその店で買った本は、この本です。'（中国語）
　　　李四在那个店买的书是这本书。
　　　李四在那個店買的書是這本書。

　ところが、おもしろいことに、目的語が関係節化される時だけ、プイ語
においては、中国語や日本語と同様に、関係節が、修飾する名詞の前に来
ることができます。

(8)　[Lijsiq qyus laez raanz dianh xex]　　sel deengl neex
　　　[李四　で　その　軒　店　買った] 本　です　　この
　　　benc sel.
　　　冊　　本

'李四がその店で買った本は、この本です。'（プイ語）

(8) は、(6) と一点だけ異なっています。修飾される名詞が、関係節の後に来ている点です。これが可能なのは、修飾される名詞が、目的語の時だけで、主語や他の要素の場合は、必ず、修飾される要素が、関係節の前に来なければなりません。(9)-(11) は、完璧なプイ語の文ですが、(12)-(14) は、全くおかしな文です。

(9) Wenz [qyus laez raanz dianh xex deel benc sel]
人　[で　その　軒　店　買った　その　冊　本]
deengl Zangysany.
です　張三
'その店でその本を買った人は、張三です。'（主語）（プイ語）

(10) Ngonz [Zangysany xex deel benc sel] deengl
日　[張三　買った　その　冊　本]　です
ngonzboonz.
おととい
'張三がその本を買った日は、おとといです。'（時間要素）（プイ語）

(11) Dianh [Zangysany xex deel benc sel] deengl neex
店　[張三　買った　その　冊　本]　です　この
gaais dianh.
軒　店
'張三がその本を買った店は、この店です。'（場所要素）（プイ語）

(12) *[Qyus laez raanz dianh xex deel benc sel] wenz
[で　その　軒　店　買った　その　冊　本]　人

deengl Zangysany.

です　　張三

'その店でその本を買った人は、張三です。'（主語）（プイ語）

(13) *[Zangysany xex　　deel benc sel] ngonz deengl

[張三　　　　　買った　その　冊　本] 日　　　です

ngonzboonz.

おととい

'張三がその本を買った日は、おとといです。'（時間要素）（プイ
語）

(14) *[Zangysany xex　　deel benc sel] dianh deengl neex

[張三　　　　　買った　その　冊　本] 店　　　です　　この

gaais dianh.

軒　　店

'張三がその本を買った店は、この店です。'（場所要素）（プイ語）

中国語や日本語では、(9)-(11) の構造は、全く不可能です。そうなると、プイ語は、目的語が関係節化される時だけ、日本語タイプのように、名詞が最後に来ることも、英語タイプのように、名詞が最初に来ることもできる言語であるということになります。つまり、ちょっとだけ、構造上、日本語のような性質があるということです。

　次に、主語と動詞の一致があるかどうか見てみましょう。以下の例を見てください。

(15) a. Gul ngonz ngonz ranl Zangysany.

私　　毎日　　　　見る　張三

'私は、毎日張三を見ます。'

b. Mengz ngonz ngonz ranl Zangysany ma?

あなた　毎日　　　　見る　張三　　　　か

'あなたは、毎日張三を見ますか？'

c. Deel ngonz ngonz <u>ranl</u> Zangysany.

彼女　毎日　　　　見る　張三

'彼女は、毎日張三を見ます。'

d. Deel ngonz ngonz <u>ranl</u> Zangysany.

彼　　毎日　　　　見る　張三

'彼は、毎日張三を見ます。'

e. Bozrauz ngonz ngonz <u>ranl</u> Zangysany.

私達　　毎日　　　　見る　張三

'私達は、毎日張三を見ます。'

f. Hocsul　　ngonz ngonz <u>ranl</u>　Zangysany ma?

あなたたち　毎日　　　　見る　張三　　　　か

'あなた方は、毎日張三を見ますか？'

g. Hocdeel ngonz ngonz <u>ranl</u> Zangysany.

彼女ら　毎日　　　　見る　張三

'彼女らは、毎日張三を見ます。'

h. Hocdeel ngonz ngonz <u>ranl</u> Zangysany.

彼ら　　毎日　　　　見る　張三

'彼らは、毎日張三を見ます。'

最も普通に聞こえる文になるように、主語が2人称の時は、疑問文にし、その他の文は、すべて平叙文にしてあります。以上の例から明らかなように、プイ語では、日本語と同様、主語と動詞の一致が見えず、主語の人称、性別、単数か複数かによって、動詞の形が全く変わりません。これは、前に見たように、中国語も同じです。以下に、再度、掲載します。

(16) a. Wo meitian jian Zhangan.

私　毎日　　見る　張三

'私は、毎日、張三を見ます。'

　　我每天见张三。

　　我每天見張三。

b.　Ni　　　meitian jian　Zhangan ma?

　　あなた　毎日　　見る　張三　　か

　　'あなたは、毎日、張三を見ますか？'

　　你每天见张三吗？

　　你每天見張三嗎？

c.　Ta　　meitian jian　Zhangan.

　　彼女　毎日　　見る　張三

　　'彼女は、毎日、張三を見ます。'

　　她每天见张三。

　　她每天見張三。

d.　Ta　meitian jian　Zhangan.

　　彼　毎日　　見る　張三

　　'彼は、毎日、張三を見ます。'

　　他每天见张三。

　　他每天見張三。

e.　Women meitian jian　Zhangan.

　　私たち　毎日　　見る　張三

　　'私たちは、毎日、張三を見ます。'

　　我们每天见张三。

　　我們每天見張三。

f.　Nimen　　meitian jian　Zhangan ma?

　　あなたたち　毎日　　見る　張三　　か

　　'あなたがたは、毎日、張三を見ますか？'

　　你们每天见张三吗？

　　你們每天見張三嗎？

g. Tamen meitian <u>jian</u> Zhangan.

　　彼女ら　　毎日　　　見る　　張三

　　'彼女らは、毎日、張三を見ます。'

　　她们每天见张三。

　　她們每天見張三。

h. Tamen meitian <u>jian</u> Zhangan.

　　彼ら　　　毎日　　　見る　　張三

　　'彼らは、毎日、張三を見ます。'

　　他们每天见张三。

　　他們每天見張三。

　続いて、プイ語には、「の」主語が存在するかどうか見てみましょう。実は、以下で見るように、プイ語には、「の」主語がありません。というのも、プイ語には、そもそも、「の」に対応する助詞がないからです。プイ語では、所有を示す場合、(17) に見られるように、所有されるものが先に来て、その後ろに、所有者が来ます。

(17)　sel Zangysany

　　　本　張三

　　　'張三の本'（プイ語）

一方、中国語では、(18) のように、所有者が先に来て、「の」を示す要素が、所有されるものの間に入ります。

(18)　Zhangsan de shu

　　　張三　　　の　本

　　　'張三の本'（中国語）

　　　张三的书

　　　張三的書

したがって、プイ語には、「の」を示す助詞がないため、「の」主語が存在するかどうか確認できません。具体的には、(6) において、*Lijsiq*'李四' は、関係節の主語で、それが「李四の」を示しているという明示的な証拠は、ありません。

(6)　Sel [Lijsiq qyus laez raanz dianh xex]　deengl neex
　　　本 [李四　　で　　その　軒　　店　買った] です　　この
　　　benc sel.
　　　冊　　本
　　　'李四がその店で買った本は、この本です。'（プイ語）

したがって、プイ語には、「の」主語がないと結論付けて、それほど大きい問題が起きるとは思えません。

　最後に、プイ語には、話題の「は」が存在するかどうか見てみましょう。「の」主語の場合と同じように、プイ語には、前置詞はあっても、日本語に見られるような助詞はないため、やはり、プイ語には、話題の「は」が存在しないと結論付けても、問題ないと思われます。

　上記のことから、プイ語は、日本語に特有な特徴を一つとちょっと持っていることが分かります。それは、主語と動詞の一致がないことと、関係節の構造が、目的語が修飾される時だけ、日本語と類似した構造を示すということです。これを、これまでわかっている事実とともに、表にまとめてみましょう。

(19) 各言語の特徴

言語	語順：SOV	「の」主語	話題の「は」	主語と動詞の一致
日本語	✓	✓	✓	*
中国語	*	?	*	*
英語	*	*	*	✓
ウルドゥ語	✓	✓	*	✓
ベンガル語	✓	✓	*	✓
モンゴル語	✓	✓	✓	*
満州語	✓	✓	✓	*
シベ語	✓	✓	✓	*
延辺語	✓	✓	✓	*
ウイグル語	✓	✓	✓	✓
ウズベク語	✓	✓	*	✓
カザフ語	✓	✓	*	✓
チベット語	✓	*	✓	*
土家語	✓	*	✓	*
ナシ語	✓	*	*	*
プイ語	*	*	*	*

このことから、プイ語は、ちょっとだけ日本語と似ていると言えそうです。

16章　ナバホ語

言いたいこと：**日本語の古語か！**

　ちょっと中国を離れますが、日本人の祖先がたどり着いた北米大陸に現在も暮らすナバホ族の言語についても見てみたいと思います。コロンブス（1451 年頃-1506 年）が、1492 年に大西洋を渡り、北米大陸に到着しましたが、その地を、インドであると思いこんだことから、北米大陸に暮らしていた人々を、インディアンと呼ぶことになってしまいました。本書では、ヨーロッパ人が到着する前から生活していた人々を、ネイティブ・アメリカンと呼ぶことにします。もともと北米大陸にいた人々という意味です。つまり、日本人の親戚の人々です。

　ナバホ族は、ネイティブ・アメリカン民族の一つで、アリゾナ、ニューメキシコ、ユタに暮らし、その母語は、ナバホ語です。ナバホ語は、アサバスカ諸語に属するとされています。

　ナバホ語の語順は、日本語と同じ SOV の語順です。ナバホ語について詳しく見ていく前に、南北アメリカ大陸に暮らすネイティブ・アメリカン言語の語順についての傾向を見ておきたいと思います。以下の統計は、アメリカのネイティブ言語：ネイティブ・アメリカン言語の保護と促進（Native Languages of the Americas: Preserving and promoting American Indian languages）という非営利団体の公式ホームページ（http://www.native-languages.org/）によるものです。

　まず、ネイティブ・アメリカン言語は、800以上存在すると考えられていますが（ただし、その一部は、絶滅しています）、以下では、語順に関して、はっきり分かっている言語についての統計を示します。

(1)　ネイティブ・アメリカン言語の語順

語順	SOV	SVO	VSO	VOS
数	236	58	50	14
言語の例	ナバホ語	ピアポコ語	サポテク語	カクチケル語
地域	北米	南米	中米	中米

(1) の表を見ると、圧倒的に、SOV タイプの言語が多いことが分かります。この表からだけでは、明確なことは言えませんが、アジアからアメリカ大陸に来た人々の言語の中の主要な言語が、日本語のように SOV 言語であったと考えても、大きい矛盾は生じないように見えます。

　では、SOV 言語の一例として、ナバホ語の性質を見ていきます。以下、Schauber (1979) が挙げている例を引用します。まず、(2) の例を見てください。

(2)　Ashkii łééchąą'í yiyiiłtsą.
　　　少年　　犬　　　　見る
　　　'その少年は、その犬を見た。'　　　　　　(Schauber (1979, p. 15))

語順は、主語、目的語、動詞で、日本語と全く同じです。動詞には、時制がはっきり示されていませんが、この文が発せられた状況から、時制を判断します。(2) では、過去時制として解釈されています。

　次に、疑問文の例を見てみます。(3) を見てください。

(3)　Ashkii ha'át'íí-**sh** yiyiiłtsą?
　　　少年　　何-か　　　見る
　　　'その少年は、何を見たの？'　　　　　　(Schauber (1979, p. 118))

(3) で驚くのは、日本語の疑問助詞の「か」に当たる *sh* が、疑問語 *ha'*
át'íí「何」と隣り合っていることです。日本語の疑問助詞の「か」に当た
るものは、*sh* の他に、*la* もあるようです。全く同じ機能を持っているよ
うです。(4) と (5) を見てください。

(4) Jáan　ha'át'íí-**lá** yiyiiłtsą?
　　ジョン 何-か　　見る
　　'ジョンは、何を見たの？'　　　　　　(Schauber (1979, p. 118))

(5) Jáan　ha'át'íí-**lá** nayiisnii'?
　　ジョン 何-か　　　買う
　　'ジョンは、何を買ったの？'　　　　　(Schauber (1979, p. 186))

(3)–(5) の例は、*ha'át'íí*「何」を含んでいますが、他の疑問語も、同じよ
うに表れます。(6) を見てください。

(6) Jáan　háí-**lá** yiyiiłtsą?
　　ジョン 誰-か　見る
　　'ジョンは、誰を見たの？'　　　　　　(Schauber (1979, p. 197))

(6) では、疑問語 *háí*「誰」が、疑問助詞の *la* とともに現れています。

　さて、(3)–(6) の現象は、どこかで見たことがあると感じる方もいると
思います。なんだか懐かしいなと。そうです。これは、昔の日本語、つま
り、古語によくある形です。以下の日本語古語の例を見てください。（以
下の例は、古典総合研究所 http://www.genji.co.jp/ より引用しています。）

(7)　さばかりめでたきものを得ては、何をか思ふ
　　'そのような素晴らしいものを手に入れて、何を悩んでいるので
　　すか？'　　　　　　　　　　　　　　　（枕草子 251-08/-09 下）

(8)　<u>誰をか</u>取りたまふ

　　　'どなたを婿君としてお迎えになるのですか？'

（落窪物語 089-04/-05）

(9)　かぐや姫、「<u>なにか</u>難からむ」といへば、

　　　'かぐや姫は、「何が難しいでしょうか」と言うので、'

（竹取物語 025-01）

(10)　<u>誰か</u>、かく憎きわざはしつらむ。

　　　'誰が、こんな憎たらしいことをしたのだろうか。'

（枕草子 077-07 下）

(7) と (8) は、目的語の疑問語「何を」と「誰を」に疑問助詞「か」が付いている形、(9) と (10) は、主語の疑問語「なに」と「誰」に疑問助詞「か」が付いている形です。もう、ほとんどナバホ語と日本語古語の疑問文は同じ形になっています。

　さらに驚くことがあります。ナバホ語の疑問文で、これまでにまだ見ていなかった例を見てみましょう。

(11)　Jáan　　**lá**　háí　yiyiiłtsą́?

　　　ジョン　か　誰　見る

　　　'ジョンは、誰を見たの？'　　　　　（Schauber (1979, p. 197)）

(12)　Jáan　　**lá**　ha'át'íí　nayiisnii'?

　　　ジョン　か　何　　買う

　　　'ジョンは、何を買ったの？'　　　　（Schauber (1979, p. 186)）

(11) と (12) では、疑問助詞の *lá* が、*háí*「誰」と *ha'át'íí*「何」から離れて、左方向に移動しています。より厳密には、文の先頭から 2 番目の位置に移動していると考えられています。あれあれ、先ほどまでは、ナバホ語の疑問文は、全く日本語の古語と同じ振る舞いをするように見えてい

たのに、なんだか、疑問助詞だけが疑問語から離れて違う場所に出現するという不思議な行動もするようです。

　ところが、ちょっと現代日本語に目を向ければ、ある意味、似たようなことが起きています。現代日本語は、古語と「か」の位置が異なっています。古語では、「か」は、疑問語のすぐ右隣りに置かれていますが、現代日本語では、文末に置かれています。(13) と (14) の例を見てください。

(13)　たけしは、<u>何を</u>　書きました　<u>か</u>？

(14)　<u>誰</u>が、『純、文学』という本を　書きました　<u>か</u>？

この古語から現代日本語への「か」の位置の変化を見て、外池滋生氏は、1992 年の Operator Movements in Japanese（日本語における演算子移動）という論文で、もともと、現代日本語でも、「か」が、疑問語の右隣りにいて、それが、文末まで移動していったと主張しています。移動の様子を実際に示すと、現代日本語では、誰も気づかないまま、「か」が、次のように移動しているというわけです。

(15)　たけしは、<u>何</u>を [ ]　書きました　<u>か</u>？

(16)　<u>誰</u>が [ ]、『純、文学』という本を　書きました　<u>か</u>？

そうなると、現代日本語においても、まさに、ナバホ語と同じように、疑問助詞が、もともとの位置から、別の位置に移動していて、たまたま、ナバホ語は、文の先頭から2番目の位置に移動しているが、現代日本語では、文末に移動していると考えることもできます。そうなると、ナバホ語は、古語と現代日本語の疑問文の両方を同時に持っているということになりそうです。まるで、ナバホ語が、日本語の変化の歴史を、今、目の前で見せてくれているかのようです。上記のことから、日本語の祖先の言葉と

ナバホ語に何らかの関係があったと考えても、それほどおかしいことでは
ありません。

　ただし、すべてがすべて同じだというわけではありません。私が調査し
た限り、ナバホ語には、日本語と違って、主語と動詞の一致があり、「の」
主語と話題の「は」がありません。

　まず、主語と動詞の一致があるかどうか見てみましょう。以下の例を見
てください。分かりやすいように、「知っている」を示す動詞の1人称単
数、2人称単数、3人称単数の例だけを見てみます。「私」や「あなた」な
どの代名詞は、動詞に組み込まれていることに注意してください。

(17)　a.　… shił bééhózin　　　　　　　　(Schauber (1979, p. 88))

　　　　　　1. 知っている

　　　　'私は、… 知っています。'

　　　b.　… nił bééhózin?　　　　　　　　(Schauber (1979, p. 50))

　　　　　　2. 知っている

　　　　'あなたは、… 知っていますか？'

　　　c.　Jáan …bił bééhózin　　　　　　　(Schauber (1979, p. 17))

　　　　　　3. 知っている

　　　　'ジョンは、… 知っています。'

このように、人称によって、動詞の活用が一部変わっています。つまり、
主語と動詞の一致があるということです。

　続いて、「の」主語があるかどうか見てみましょう。Schauber (1979)
に現れる例を検証すると、一つも次のような例が存在しません。

(18)　[たけしの書いた] 本が、今、一番売れている。

(18) においては、[たけしの書いた] は、「本」を修飾する関係節で、その
主語が、「の」で表されています。ナバホ語には、このような環境で、「の」
主語が出現しません。

　最後に、話題の「は」があるかどうか見てみましょう。Schauber（1979）に現れる例を検証すると、やはり、一つも次のような例が存在しません。

(19)　たけし<u>は</u>、『純、文学』という本を書きました。

文頭に来る主語に、話題を示すような助詞は、ナバホ語には見当たりません。

　上記のことから、ナバホ語は、日本語に特有な特徴を一つ持っていることが分かります。それは、語順が SOV で、かつ、疑問語と疑問助詞の関係が、日本語の状況と酷似しているということです。これまでわかっている事実とともに、表にまとめてみましょう。

(20)　各言語の特徴

言語	語順：SOV	「の」主語	話題の「は」	主語と動詞の一致
日本語	✓	✓	✓	*
中国語	*	?	*	*
英語	*	*	*	✓
ウルドゥ語	✓	✓	*	✓
ベンガル語	✓	✓	*	✓
モンゴル語	✓	✓	✓	*
満州語	✓	✓	✓	*
シベ語	✓	✓	✓	*
延辺語	✓	✓	✓	*
ウイグル語	✓	✓	✓	✓
ウズベク語	✓	✓	*	✓
カザフ語	✓	✓	*	✓
チベット語	✓	*	✓	*
土家語	✓	*	✓	*
ナシ語	✓	*	*	*
プイ語	*	*	*	*
ナバホ語	✓	*	*	✓

このことから、ナバホ語は、ちょっと日本語と似ていると言えそうです。しかしながら、重要な点は、ナバホ語と日本語が、現時点では、異なる大陸で話されており、一見、全く無関係に見えても、決定的な特徴、つまり、語順や疑問語と疑問助詞の関係に関して、類似しているという点です。

17章　中国語

言いたいこと：**語順のわけ。**

　これまで、パキスタンから日本に至るまで（北米大陸にも行きましたが）、日本語と似たような言語がかなりたくさんあることを見てきました。とりわけ、SOV 語順の言語が大量にありました。そこで、この本を書くに至った動機に戻ってみます。なぜ、パキスタンから日本に至るまで、相当数の言語が、SOV 語順なのに、その間に入っている中国語は、SVO 語順なのか。

　これは、本当に不思議なことです。しかし、この中国語の語順の問題に取り組むに当たって、糸口はあります。それは、次のような文が、中国語に存在しているという事実です。

(1)　Zhangsan [zai Beijing] mai-le　zhe　ben　shu.
　　　張三　　　[で 北京]　　 買っ-た この　冊　　本
　　　'張三は、北京でこの本を買った。'
　　　张三在北京买了这本书。
　　　張三在北京買了這本書。

(2)　[Xingqiliu Zhangsan mai]-de　shu　shi　zhe　ben.
　　　[土曜日　　 張三　　　買う]-の　本　　です この　冊
　　　'土曜日に張三が買った本は、これです。'

星期六张三买的书是这本。

星期六張三買的書是這本。

(3)　[Rome　de　na　　ge　chengshi　de　pohuai]

　　　[ローマ　の　その　個　都市　　　の　破壊

　　　‘ローマのその都市の破壊’

　　　罗马的那个城市的破坏

　　　羅馬的那個城市的破壞

(1) では、*zai Beijing*「北京で」という副詞句が、*mai-le*「買った」という
動詞の前に置かれています。(2) では、名詞を修飾する関係節 *Xingqiliu
Zhangsan mai*「土曜日に張三が買った」が名詞 *shu*「本」の前に置かれて
います。(3) では、pohuai「破壊」という動詞から派生された派生名詞が、
大きい名詞句全体 *Rome de na ge chengshi de pohuai*「ローマのその都
市の破壊」の最後に置かれています。これは、*zai Beijing*「北京で」の内
部の語順と動詞と目的語の語順が、日本語と異なる点を除けば、すべて、
日本語と同じ語順になっていることを示しています。

(4)　張三は、[北京で] この本を買った。

(5)　[土曜日に張三が買った] 本

(6)　[ローマのその都市の [破壊]]

もし、中国語が、英語と同じような SVO 言語であれば、(1)–(3) の構造
は、全くありえないことになります。というのは、英語では、(1)–(3) に
対応する構造は、すべて非文だからです。

(7)　*John　　[in　Beijing]　bought　this　　book.

　　　ジョン　[で　北京]　　買った　この　本

　　　‘ジョンが北京でこの本を買った。’

(8)　John　bought this　book　[in　Beijing].

　　　ジョン 買った この 本　　[で 北京]

　　　'ジョンが北京でこの本を買った。'

(9)　*[Yesterday John　　bought] book　is　　this　book.

　　　[昨日　　　 ジョン 買った] 本　　です この 本

　　　'昨日ジョンが買った本は、この本です。'

(10)　The　book [John　　bought yesterday] is　　this　book.

　　　その 本　　[ジョン 買った 昨日]　　です この 本

　　　'昨日ジョンが買った本は、この本です。'

(11)　*[Rome's　the　city's　[destruction]]

　　　[ローマの その 都市の [破壊]]

　　　'ローマのその都市の破壊'

(12)　[Rome's　[destruction]　of　the　　city]

　　　[ローマの [破壊]　　　 の その 都市]

　　　'ローマのその都市の破壊'

こうなると、中国語は、英語とは違うタイプの SVO 言語だということになります。そして、同時に、中国語は、日本語と、結構似たタイプの SVO 言語だということになります。日本語は、SOV 言語であるにもかかわらず。

　では、いったい、中国語と日本語は、どこが決定的に異なっているんでしょうか？ それは、上でも述べたように、次の2点だけです。

(13)　中国語

　　　a.　前置詞-目的語

　　　b.　動詞-目的語

152

(14) 日本語

    a. 目的語–後置詞

    b. 目的語–動詞

各言語の具体例は、以下です。

(15) 中国語

    a. [zai Beijing]

        [で 北京]

        '北京で'

        在北京

        在北京

    b. Zhangsan [chengzan Lisi].

        張三 [褒める 李四]

        '張三が李四を褒めた。'

        张三表扬了李四。

        張三表揚了李四。

(16) 日本語

    a. [北京で]

    b. たけしが [きよしを褒めた]。

つまり、目的語が関与した時だけ、語順が逆になるというわけです。

　ここから以下は、大いなる空想です。仮に、名前を、中国語動詞・前置詞移動仮説と呼んでおきます。上の状況とともに、もう三つ中国語と日本語が同じ点があります。それは、形容詞、時制要素、疑問助詞です。まず、形容詞から。文の述語としての形容詞は、文末に来て、副詞が修飾する場合は、副詞が前に来ます。それは、全く日本語と同じです。

(17)　Zhe ben shu [hen　　youqu].

　　　この　冊　本　[とても　おもしろい]

　　　'この本は、とてもおもしろい。'

　　　这本书 很有趣。

　　　這本書 很有趣。

(18)　この本は、[とても　おもしろい]。

　次に、時制要素について。中国語の時制要素（より正確には、時制と言うより、様相と言いますが、ここでは、話を分かりやすくするために、時制と言っておきます。）の *le*「了」は、必ず動詞の右側に現れます。以下で示すように、*le*「了」は、動詞のすぐ右隣りに現れることも、動詞と離れて、文末に現れることもあります。

(19)　Zhangsan mai-le　zhe　ben　shu.

　　　張三　　　買った　この　冊　　本

　　　'張三は、この本を買った。'

　　　张三买了这本书。

　　　張三買了這本書。

(20)　Zhangsan mai zhe　ben　shu le.

　　　張三　　　買う この　冊　　本　　た

　　　'張三は、この本を買った。'

　　　张三买这本书了。

　　　張三買這本書了。

(20)においては、動詞 *mai*「買う」と時制 *le* が目的語の *zhe ben shu*「この本」によって分断されていますが、(19)では、時制 *le* が目的語を飛び越えて、動詞とくっついています。その場合においても、やはり、動詞の右側にあります。

これは、日本語と同じです。

(21)　たけしがこの本を買っ-た。

(21) では、動詞「買う」に過去時制を示す「た」が右側にくっついて、「買った」になっています。

一方、英語では、時制要素は、動詞の左側に来ています。

(22)　John　did not　buy　this　book.
　　　ジョン　た　ない　買う　この　本
　　　'ジョンは、この本を買わなかった。'

(22) においては、did が過去を示し、その後に、動詞 buy が来ています。

三つ目に、疑問助詞について。中国語の疑問文には、はい・いいえ疑問文の場合、明らかに、疑問助詞 ma「Q」が文末に来ます。

(23)　Zhangsan mai-le　zhe　ben　shu　ma?
　　　張三　　　買っ-た　この　冊　本　Q
　　　'張三は、この本を買いましたか？'
　　　张三买这本书吗？
　　　張三買這本書嗎？

これは、日本語と同じで、英語とは、反対です。

(24)　たけしは、この本を買いましたか？

(25)　Did　John　buy　this　book?
　　　Q+た　ジョン　買う　この　本
　　　'ジョンは、この本を買いましたか？'

もし、文の先頭に疑問助詞を持ってくれば、(23) も (24) も全くだめな文になってしまいます。

(26) *Ma Zhangsan mai-le　zhe　ben　shu?

　　　Q　張三　　　買っ-た この　冊　　本

　　　'張三は、この本を買いましたか？'

　　　吗张三买这本书？

　　　嗎張三買這本書？

(27) *か　たけしは、この本を買いました？

さらに、中国語には、別の疑問助詞があります。それは、はい・いいえ疑問文に使われるのではなく、「何」や「誰」を含む内容を答える疑問文に使われます。疑問助詞 ne「Q」です。

(28) Zhangsan mai-le　shenme　ne?

　　　張三　　　買っ-た 何　　　　Q

　　　'張三は、何を買いましたか？'

　　　张三买什么呢？

　　　張三買什麼呢？

これは、日本語と同じで、英語とは、反対です。

(29) たけしは、何を買いましたか？

(30) What did　John　buy?

　　　何　Q+た ジョン 買う

　　　'ジョンは、何を買いましたか？'

ただし、中国語では、疑問助詞 ne「Q」は、使わなくても、問題がありません。

(31) Zhangsan mai-le　shenme?

　　　張三　　　買っ-た 何

　　　'張三は、何を買いましたか？'

张三买什么？

張三買什麼？

日本語もカジュアルな会話であれば、同じように、疑問助詞「か」を使わなくても問題ありません。

(32)　たけしは、何を買った？

さて、もし文の先頭に疑問助詞を持ってくると、(28) も (29) も全くだめな文になってしまいます。

(33) *Ne Zhangsan mai-le　shenme?
　　　Q　張三　　　買っ-た 何
　　　'張三は、何を買いましたか？'
　　　呢张三买什么？
　　　呢張三買什麼？

(34) *か　たけしは、何を買いました？

これらの例は、中国語の疑問助詞は、日本語と同じように、そして、英語と違って、文末に置かれなければならないことを示しています。
　そうなると、中国語と日本語は、副詞、形容詞、名詞、時制、疑問助詞の性質が同じで、異なるのは、動詞-目的語・目的語-動詞と前置詞-目的語・目的語-前置詞だけだということになります。
　さて、ここで、目的語の性質を考えてみましょう。分かりやすいように、英語の例を使って考えます。

(35)　They　saw　me.
　　　彼ら　見た　私
　　　'彼らが私を見た。'

(36)　to　me
　　　に　私
　　　'私に'

英語において（実際には、日本語でも中国語でも）、名詞句は、代名詞の場合よく分かりますが、格の形がはっきりしています。つまり、(35) と (36) は、(37) と (38) のように言ったら、全くだめな表現ということになります。

(37)　*They　saw　I.
　　　彼ら　見た　私
　　　'彼らが私を見た。'

(38)　*to　I
　　　に　私
　　　'私に'

このことから、動詞と前置詞は（日本語なら、動詞と後置詞は）、隣にある名詞句に格を与えると言います。この場合、簡単に、対格（あるいは、目的格）を与えると言っておきます。(35) と (36) では、*me* に、正しく、対格が与えられたので、その表現は、正しい表現となります。一方、(37) と (38) では、誤って、対格ではなく、主格を与えてしまった例で、その結果、*me* が *I* として出現してしまい、その表現は、全く不適格な表現になっています。これらのことは、人間言語において、動詞と前置詞・後置詞が、格を与えるという作業をしていることを示してくれています。そして、英語においては、動詞と前置詞が格を与える方向は、その右側です。もし左側に与えてしまったら、また、おかしな文が出てきてしまいます。

(39)　*They　me　saw.
　　　彼ら　私　見た

‘彼らが私を見た。’

(40) *me to

　　　私　に

　　　‘私に’

これは、実は、日本語の形ですね。

　さあ、ここからが、中国語動詞・前置詞移動仮説の中身です。中国語は、SVO 言語であるにもかかわらず、目的語が関与しなければ、あまりにも日本語と語順が似ています。そして、パキスタンから日本に至るまで、あまりにも SOV 言語が多く存在しています。さらに、中国語は、シナ・チベット語族に属し、チベット語と同じ仲間だとされています。チベット語も SOV 言語です。さらに、Zhang らによる 2019 年の Nature というジャーナルに掲載された Phylogenetic evidence for Sino-Tibetan origin in northern China in the Late Neolithic（シナ・チベット語の起源が後期新石器時代の北部中国にあるとする系統発生的証拠）という論文の中でも、シナ・チベット語は約 5900 年前に出現し、後に、西方のチベットと南方のミャンマーに移動した集団と、東方と南方に移動して中国語となった集団に分岐した可能性が高く、シナ・チベット語族の発祥地と時期について提案されている二つの仮説（北方起源仮説と南西起源仮説）のうち、北方起源仮説に合致すると結論付けています。北方起源仮説では、約 4000 〜 6000 年前に中国北部の黄河流域に出現したとされ、南西起源仮説では、9000 年以上前に東アジアの南西部に出現したとされています。つまり、中国語とチベット語は、もともとは、同じ祖先に属しており、6000 年ほど前から、二つに分かれ始めたということです。これらのいくつかの要素を総合的に考えると、中国語も、もともとは、SOV 言語で、何らかの理由で、SVO に変わったのではないかと仮説を立てることができそうです。それが、中国語動詞・前置詞移動仮説の中身です。実際、Li (1990) は、現代中国語の基本語順は、現代日本語同様、SOV だと提唱

しています。

　さて、その仮説の中身に入る最初の段階として、これまで見てきたパキスタンから日本までの諸言語の他動詞を含む文をもう一度おさらいしてみましょう。日本語のところまで見て、何か気づくことがあると思います。

(41)　John-ne　　　kitab　khareedi.
　　　ジョン-Erg　本　　買った
　　　'ジョンが本を買った。'（ウルドゥ語）

(42)　Se　Monir-ke　　balobashe.
　　　彼女　モニール-を　愛している
　　　'彼女は、モニールを愛しています。'（ベンガル語）

(43)　Polat　　Yultuz-ni　　　mahti-di.
　　　ポラット　ユルトゥズ-を　褒め-た（終止形）
　　　'ポラットがユルトゥズを褒めた。'（ウイグル語）

(44)　Begzodbek　Saidakbar-ni　　　maqta-di.
　　　ベグゾベック　サイダクバル-を　褒め-た（終止形）
　　　'ベグゾベックがサイダクバルを褒めた。'（ウズベク語）

(45)　Aydos　　Bota-ni　mahta-di.
　　　アイドス　ボタ-を　褒め-た（終止形）
　　　'アイドスがボタを褒めた。'（カザフ語）

(46)　Ulaγan　Baγatur-i　　maγta-jai.
　　　ウラーン　バートル-を　褒め-た
　　　'バートルがウラーンを褒めた。'（モンゴル語）

(47)　Bkrashis-kyis　dpecha-de　nyos.
　　　タシ-Erg　　　本-その　　bought

'タシがその本を買った。'（チベット語）

(48) Jiexi-gu   gei   cipu shupuji.
　　 ジェシ-Erg　その　本　買った
　　 'ジェシがその本を買った。'（土家語）

(49) Hoqjui-nee   teiqee achi be teiqhaiseiq.
　　 ホジュン-Erg　本　その　冊　買った
　　 'ホジュンがその本を買った。'（ナシ語）

(50) Jangsan' Liisy'-be saixaha.
　　 張三　　李四-を　褒めた
　　 '張三が李四を褒めた。'（満州語）

(51) Jangsan Lisy-be ferguwehebi.
　　 張三　　李四-を　褒めた
　　 '張三が李四を褒めた。'（シベ語）

(52) John-i   Sunhi-lu chingchanhayssta.
　　 ジョンが スンヒ-を 褒めた
　　 'ジョンがスンヒを褒めた。'（延辺語）

(53) たけしが　きよしを　褒めた。（日本語）

能格言語も対格言語もあります。が、二点、共通していることがあります。まず一点目は、すべて SOV 語順であるということ。そして、二点目は、どの言語も、主語か目的語に、助詞が付いていることです。どちらかについている言語も、どちらにもついている言語もあります。しかし、重要なのは、どちらか一つにでも、助詞が付いているということです。

　中国語をおさらいする前に、これまで見てきた他の言語も見ておきましょう。

(54)　Ashkii　łééchąą'í yiyiiłtsą́.

　　　少年　　犬　　　　　見る

　　　'その少年は、その犬を見た。'

　　　　　　　　　　　　　　　　　(Schauber（1979, p. 15)）（ナバホ語）

(55) a.　… shił bééhózin　　　　　　　(Schauber（1979, p. 88)）

　　　　　1. 知っている

　　　　'私は、… 知っています。'

　　b.　… nił bééhózin?　　　　　　　(Schauber（1979, p. 50)）

　　　　　2. 知っている

　　　　'あなたは、… 知っていますか？'

　　c.　Jáan …bił bééhózin　　　　　　(Schauber（1979, p. 17)）

　　　　　3. 知っている

　　　　'ジョンは、… 知っています。'（ナバホ語）

(56)　Zangysany hanhndil Lijsiq.

　　　張三　　　　褒める　李四

　　　'張三は、李四を褒めた。'（プイ語）

(57)　Somchai　　　chom　Somying.

　　　ソムチャーイ 褒める ソムイン

　　　'ソムチャーイは、ソムイン を褒めた。'（タイ語）

(58)　Takeshi praises　Kiyoshi.

　　　たけし　褒める　きよし

　　　'たけしがきよしを褒める。'（英語）

　(54) のナバホ語は、SOV 言語です。ところが、主語にも目的語にも助詞がありません。しかし、(55) に見られるように、主語と動詞の一致があり、したがって、主語に助詞が付いていなくても、動詞を見れば、主語

と目的語が二つあっても、どちらが主語かすぐに分かります。

　(56) のプイ語、(57) のタイ語、(58) の英語は、SVO 言語です。これらの言語には、主語にも目的語にも助詞が付いていません。ところが、動詞が主語と目的語を明確に分割しているために、世界の 90 ％の言語においては、主語が先頭に来るというほぼ一般的な人間言語の性質からすれば、先頭に来るほうが主語であることが分かります。したがって、助詞など必要ないのです。さらに英語には、ナバホ語と同様、主語と動詞との間に一致があります。3 人称単数の S です。したがって、さらに、どちらが主語か、一目瞭然となっています。

　では、これらの背景をもとに、中国語に目を転じてみましょう。上で見たように、6000 年ほど前までは、チベット語と中国語は、同じような言語であったようです。それが、その後に二つに分岐しました。さて、中国においては、今から 3300 年前（約紀元前 1300 年）ほど前、殷王朝の時代に、漢字のもととなる甲骨文字が発明され、その後、漢字として、現在まで使用されています。この漢字、表意文字であるため、一文字で、かなりの情報を含んでいます。ただし、一つだけ、含み切れなかった情報があります。それが、主語や目的語を示す助詞の機能です。おなじみの中国語の例を見てみましょう。

　(59)　Zhangsan　biaoyang-le　Lisi.
　　　　張三　　　　褒め-た　　　李四
　　　　‘張三が李四を褒めた。’
　　　　张三表扬了李四。
　　　　張三表揚了李四。（中国語）

世界の 90 ％の言語においては、主語が先頭に来るというほぼ一般的な人間言語の性質からすれば、すべて漢字で表現されていても、先頭に来るほうが主語であることが分かります。ところが、6000 年ほど前までは、チベット語と中国語は、同じような言語であり、したがって、SOV 言語で

あると仮定し、その後、二つの異なる言語に分かれたものの、中国語において は、漢字を使用することになったとしたら、もし、SOV 言語のままで あれば、何が起きたでしょうか？

(60) *Zhangsan Lisi biaoyang-le.
張三　　　李四　褒め-た
'張三が李四を褒めた。'
张三李四表扬了。
張三李四表揚了。（中国語）

つまり、(60) においては、人名が二つ連続で並びます。これは、現代中 国語では、「張三が李四を褒めた。」という意味では、完全に非文です。と ころが、現代中国語には、前に見たように、目的語を文頭に移動させ、話 題を示すことができるのです。

(61) Zhangsan mai-le zhe ben shu.
張三　　　買っ-た この 冊　 本
'張三がこの本を買った。'
张三买了这本书。
張三買了這本書。

(62) Zhe ben shu, Zhangsan mai-le.
この 冊　 本　 張三　　　買っ-た
'この本は、張三が買った。'
这本书，张三买了。
這本書，張三買了。

そうすると、(60) は、(63) の意味なら、正しい文であることになります。

(63) Zhangsan, Lisi biaoyang-le.
張三　　　李四　褒め-た

164

‘張三を李四が褒めた。’

张三 , 李四表扬了。

張三 , 李四表揚了。（中国語）

つまり、*Zhangsan*「張三」がもともとこの文の目的語で、動詞の後ろから文頭に移動させられた場合です。

　しかしながら、カンマ「,」のような記号が表記されれば、この文の正確な意味は理解できますが、音声だけで表現された場合、いったいぜんたい、どちらが主語でどちらが目的語か、全く分かりません。

　さらに、チベット語から分岐した直後の中国語が本当に SOV であったのなら、それこそ、(63) において、どちらが主語か目的語か全く分かりません。さらに、現代中国語においても、古代中国語においても、ナバホ語や英語におけるような主語と動詞の一致現象は、存在していません。そうなると、最も理解されやすい、漢字しか用いない言語の語順は、動詞を主語と目的語の間に、割って入れ込むことではないかと考えても、それほど的外れではないように思われます。このことから、本書では、古代中国語は、チベット語と別れた直後は、SOV 語順で（ただし、これは、文字としての漢字を使用する前ですから、この物的証拠は決して残っていないと思います）、その後、漢字を使用するころになって、V を O の前に移動させたのではないかと考えていこうと思います。ここまでは、中国語動詞・前置詞移動仮説の中の、中国語動詞移動仮説です。

　ところが、仮説は、ここで止まりません。前に見たように、世界の言語には、目的語に関して、一定の性質があります。それは、動詞と前置詞・後置詞から、格をもらうという性質です。

(35)　They　saw　me.

　　　彼ら　見た　私

　　　‘彼らが私を見た。’

(36)　to　me
　　　に　私
　　　'私に'

(35) と (36) は、英語の例ですが、目的語の *me* は、動詞 *saw* と前置詞 *to* から、右方向に対格（目的格）をもらっています。この方向が、多くの言語において一致しています。つまり、動詞の目的語に対格を与える方向が右なら、前置詞の目的語に対格を与える方向も右であるということです。

　そうなると、中国語において、いったん、SVO の語順となり、動詞が目的語に、右方向に対格（目的格）を与えるなら、これまで後置詞であったものが、その目的語を左方向に飛び越え、後置詞から前置詞と性質を変えたものが、その目的語に、右方向に対格（目的格）を与えると考えても不思議なことではありません。これが、中国語前置詞移動仮説で、中国語動詞移動仮説と合わせて、中国語動詞・前置詞移動仮説を構成します。

　この仮説は、自動的に、次のことを示唆します。いにしえの中国語は、SOV であり、基本的性質は、チベット語や日本語と全く同じであったが、ある段階で、動詞と前置詞が目的語を超えて、左方向に移動し、その結果、その文中の位置が、チベット語や日本語と異なるようになったということです。これは、現代中国語の状況を見事に示しています。ですから、中国語の副詞、形容詞、名詞、時制の位置が、全く日本語と同じなのです。

　本章の議論が少しでも正しければ、中国語は、一見したところ、英語のような構造をしているように見えますが、本質的には、ほぼ日本語と同様の構造をしているということになり、やはり、中国語も日本語と結構な親戚だったんだなということになりそうです。

18章　おわりに

言いたいこと：**日本語が通って来たかもしれない道。**

　篠田謙一氏（国立科学博物館人類研究部人類研究部長）のミトコンドリア DNA の解析による詳細な研究結果によって、日本人がどこからやってきたか、かなり正確に分かってきています。現生人類（ホモ・サピエンス）は、約 20 万年前にアフリカで誕生し、6 ～ 7 万年前ころから世界に拡散し始め、ユーラシア大陸を東に進み、北米大陸に入り、最終的に南米大陸の南端にまで到達しています。その途中で、日本に寄って、住み続けているのが日本人の祖先です。篠田謙一氏によれば、世界各地のさまざまな地域集団のミトコンドリア DNA を分析し、DNA 配列が似ているものをまとめていくと、いくつかのグループ「ハプログループ」に分かれます。日本人がどのようなハプログループから構成されているかを調査した結果、大まかに、10 グループほどあるようです。そのうちの 5 グループを見てみましょう。

- (1)　ハプログループ D
  この性質を持つグループは、中央アジア、東アジア、朝鮮半島、中国東北部から日本に入ってきたと考えられています。

- (2)　ハプログループ B
  この性質を持つグループは、4 万年ほど前に中国の南部で発生し、

東アジア沿岸から北上する過程で日本に上陸したと考えられています。

(3)　ハプログループ M7

この性質を持つグループは、2 万 5000 年前に 3 グループに枝分かれし、M7a は琉球列島を通って日本に入ってきたと考えられています。

(4)　ハプログループ N9

この性質を持つグループは、中東から北方に進み、ヒマラヤの北を通って東アジアに進出し、北方から日本に入ってきたと考えられています。

(5)　ハプログループ C

この性質を持つグループは、中央アジアから新大陸まで広がっているグループで、遊牧騎馬民族国家が大帝国を築いた時に、日本に入ってきたと考えられています。

　このグループ分けをより簡単にすると、ミトコンドリア DNA 解析を用いた研究以前に提唱されていた仮説と、それほど大きく異なっていないと言えるかもしれません。その仮説を以下に示します。

(6)　対馬ルート：朝鮮半島から対馬経由で西日本に入るルート

(7)　北海道ルート：シベリアからサハリン経由で北海道に南下したルート

(8)　沖縄ルート：台湾付近から琉球列島に入るルート

　これらを総合的に考えると、現在日本に住み着くことになった日本人の祖先は、どうやっても、ユーラシア大陸内部を通ってきたことになります。かなり早い段階で海に出た人々がいたかもしれませんが、それでも、

彼らも、ユーラシア大陸にいた人々と完全に独立した人々であったとは考えにくそうです。

それでは、以下、次の仮説で進んでいきたいと思います。

(9) 仮説

日本語を話す人々の祖先は、アフリカを出た後、ユーラシア大陸を東へと進んで来た。

もし、人類の移動によって、言語も一緒に移動するとすれば、ユーラシア大陸を日本人の祖先が歩いてきた道に沿って、その間に存在する言語は、似たような性質を保持していると考えてもおかしくありません。もちろん、日本に至る道は、一つではなく、少なくとも三つ以上に分かれます。それを考慮にいれて、再度、本書で調査してきた各言語の性質について見てみましょう。

(10) 各言語の特徴

言語	どれくらい日本語と似ているか
ウルドゥ語	インド・ヨーロッパ語なのに、日本語の風情。
ベンガル語	インド・ヨーロッパ語なのに、日本語の情緒。
モンゴル語	ほぼ日本語。
満州語	ほぼ日本語。
シベ語	ほぼ日本語。
延辺語	ほぼ日本語。
ウイグル語	かなり日本語。
ウズベク語	まあまあ日本語。
カザフ語	まあまあ日本語。
チベット語	かなり日本語。
土家語	かなり日本語。
ナシ語	まあまあ日本語。

プイ語	ちょっと日本語。
ナバホ語	日本語の古語か！
中国語	目的語の位置以外、まあまあ日本語。

この表を見る限り、人類の移動によって、言語も一緒に移動すると考えることは、的外れではなく、パキスタンあたりから日本に至るまでの道が、複数あったにせよ、ほぼその間の諸言語は、日本語の性質を一定以上持っているということが明らかになってきました。

　そして、この本の最初に示した地図1を再度見ると、人類が日本列島に進んで来た方向に、やはり、日本語と似た性質を持つ言語が明らかに点在していることが分かります。

地図 1： この本に出てくる中国少数民族の言語の場所*

ウイグル語、ウズベク語、延辺語、カザフ語、錫伯語、チベット語、土家語、納西語、布依語、満州語、モンゴル語

*点線矢印は、人類が日本列島に移動してきた道の仮定上の一つの道を示しています。

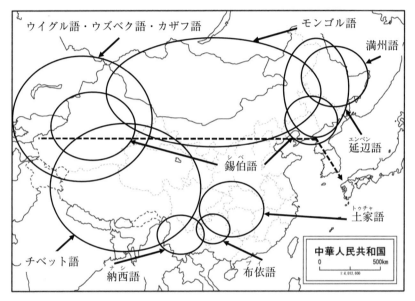

無料白地図（中華人民共和国）：三角

(http://www.freemap.jp/item/asia/china.html)

そして、実は、中国語は、一見、表面上、日本語と大きくかけ離れた言語のように見えますが、実は、目的語の位置に関する現象以外は、まあまあ日本語の特徴を持っていることも分かります。（具体的には、基本構造は、SOV であり、主語と動詞の間に一致がないということです。）となると、日本の西に中国があり、そこで話されている中国語が、全くその起源が得

体の知れないものではなく、将来日本語を話すことになる集団が、ユーラ
シア大陸を日本に向けて歩いてくる過程で、中国語が話されている場所を
飛び越えて来たのではなく、実際は、中国語自体もその大きい人類の移動
の流れの中に組み込まれていたということになりそうです。本書で分かっ
たこと。中国語は、パキスタンから日本への道の上に立ちはだかる壁では
全くなく、中国語は、日本語の親戚だということです。したがって、日本
語を話すことになる人々は、普通に、中国語が話されている地域を通っ
て、日本に辿り着き、気が向いた人々が、そこにしばらくいることになっ
たということになります。中国語が話されている地域は広いですから、そ
の中に可能な移動ルートが三つ以上あっても、全く問題ではありません。
むしろ、中国語が話されている地域を通らないで日本に辿り着くことのほ
うが難しいでしょう。

　今後、（これでも）言語学とミトコンドリア DNA 分析を基盤とした分
子生物学がタッグを組んで、より詳細な調査が可能となれば、日本語が持
つ諸性質のそれぞれは、どのルートを通ってくることで形成されてきたの
か分かってくるかもしれません。読者の方々の中から、そんなことに本気
で取り組む方が出てきてくれることを期待しています。

　本書を終える前に、有能な読者の方々に、まだ（私が）よく理解できな
い問題点を一つお知らせしておきたいと思います。それは、プイ語やタイ
語などのタイ・カダイ語族に属する言語の性質です。以下では、タイ語の
性質を見て、それが提起する問題を見てみたいと思います。

　タイ語の基本語順は、前に見たように、中国語と同じで、SVO です。

(11)　Somchai　　chom　Somying.
　　　ソムチャーイ　褒める　ソムイン
　　　'ソムチャーイは、ソムイン を褒めた。'（タイ語）

(12) Zhangsan   chengzan   Lisi.

張三　　　　褒める　　　李四

'張三は、李四を褒めた。'

张三表扬了李四。

张三表揚了李四。（中国語）

　続いて、埋め込み文を含む文を見てみましょう。主文は、SVO です。この場合、O＝埋め込み文です。もちろん、埋め込み文の内部も SVO です。

(13) Somchai　　　pood　　[waa Sakchai　sue　　　nangsue lem

　　　ソムチャーイ　言った　[と　　サクチェ　買った　本　　　その

nan thee raan kaa].

冊　で　店　その]

'ソムチャーイが、サクチェがその店でその本を買ったと言った。'
（タイ語）

そして、英語と同様に、補文化標識の *waa*「と」があります。

(14) John　　said　　　[that Mary　　bought　the　　book　at　the

ジョン　言った　[と　　メアリー　買った　その　本　　で　その

store].

店]

'ジョンが、メアリーがその店でその本を買ったと言った。'（英語）

副詞句 *thee raan kaa*「その店で」の位置は、文末です。英語においても、副詞句 *at the store*「その店で」の位置は、文末です。ところが、中国語には、補文化標識が存在せず、また、副詞句 *zai na jia*「その店で」の位置は、動詞の前です。

(15)　Zhangsan　shuo　[Lisi　[zai na　　jia　dian]　mai-le　　na
　　　張三　　　　言った　[李四　[で　その　軒　店]　　買っ-た　その
　　　ben　shu].
　　　冊　　本]
　　　‘張三が、李四がその店でその本を買ったと言った。’（中国語）
　　　张三说李四在那个店买了那本书。
　　　張三說李四在那个店買了那本書。

　最後に、関係節を見てみましょう。タイ語の関係節には、先頭に、関係代名詞 *thee* が来ます。

(16)　Nangsue　[thee　Somying　sue　　　thee　raan　kaa]　kue
　　　本　　　　[RP　　ソムイン　買った　で　　店　　その]　です
　　　nangsue　lem　nee.
　　　本　　　　　　この
　　　‘ソムインがその店で買った本は、この本です。’（タイ語）

英語と全く同じです。

(17)　The　book　[which　John　　bought　at　the　　store]　is　　　this
　　　その　本　　[RP　　ジョン　買った　で　その　店]　　です　この
　　　book.
　　　本
　　　‘The book which John bought at the store is this book.’（英語）

一方、中国では、前に見たように、関係節は、名詞の前に置かれ、また、関係代名詞はありません。

(18)　[Lisi　zai　　na　　jia　dian　mai]　　de　shu　shi　zhe　ge
　　　[李四　で　　その　軒　店　　買った]　の　本　です　この　冊

shu.

本

'李四がその店で買った本は、この本です。'(中国語)

李四在那个店买的书是这本书。

李四在那個店買的書是這本書。

このように見てくると、タイ語は、ほとんど英語と同じ構造をしていることになります。ただし、以下で見るように、主語と動詞の一致がない点は、中国語や日本語と同じです。

(19) a. Chan <u>jer</u>   Somchai   tukwan.

　　 私　　会う　ソムチャーイ　毎日

　　 '私は、毎日、ソムチャーイに会います。'

　 b. Khun   <u>jer</u>   Somchai   tukwan rue plao?

　　 あなた　会う　ソムチャーイ　毎日　　 Q

　　 'あなたは、毎日、ソムチャーイに会いますか？'

　 c. Kau <u>jer</u>   Somchai   tukwan.

　　 彼女　会う　ソムチャーイ　毎日

　　 '彼女は、毎日、ソムチャーイに会います。'

　 d. Kau <u>jer</u>   Somchai   tukwan.

　　 彼　　会う　ソムチャーイ　毎日

　　 '彼は、毎日、ソムチャーイに会います。'

　 e. Puak rao <u>jer</u>   Somchai   tukwan.

　　 私たち　　会う　ソムチャーイ　毎日

　　 '私たちは、毎日、ソムチャーイに会います。'

　 f. Huwakuu   <u>jer</u>   Somchai   tukwan rue plao?

　　 あなたたち　会う　ソムチャーイ　毎日　　 Q

　　 'あなた方は、毎日、ソムチャーイに会いますか？'

g. Puak khao jer Somchai tukwan.

　彼女ら　　会う　ソムチャーイ　毎日

　'彼女らは、毎日、ソムチャーイに会います。'

h. Huwakau jer Somchai tukwan.

　彼ら　　会う　ソムチャーイ　毎日

　'彼らは、毎日、ソムチャーイに会います。'

また、タイ語には、「の」主語も、話題の「は」もありません。すると、これらの事実から、次の疑問が沸き上がってきます。タイ語が話される場所も、ユーラシア大陸の東の一部であるにもかかわらず、タイ語の性質は、主語と動詞の一致がないという一点以外は、全く日本語の性質と異なっており、これは、いったい何を意味しているのかということです。

　最近のミトコンドリア DNA 分析に基づく研究では、タイ・カダイ語族（タイ、ラオス、ベトナムなどにおける言語）の話者とオーストロネシア語族（フィリピン、インドネシア、マレーシアなどにおける言語）の話者が共通のハプログループに属する可能性が指摘されています。ただし、ここで面白いのは、フィリピンのタガログ語やインドネシアのセラヤ島のセラヤリーズ語は、動詞が先頭に来る言語で、タイ語の語順が不思議である以上に、より不思議な現象を提示してくれます。

　このことから、プイ語と関連があるタイ語は、日本語が通って来た道を通って来たかもしれないし、通って来なかったかもしれず、また、通って来たとしても、タイ語に分岐する際に、何らかのまだ理解されていない大きな力がかかったのかもしれません。この一連の「かもしれない」に由来する諸疑問に取り組むには、ますます、（これでも）言語学とミトコンドリア DNA 分析を基盤とした分子生物学の共同作業が必要になってくるように見えます。

主要参考文献

本当は、各章、複数の論文や本を参考に書いていますが、分かりやすくするために、最も重要だと思われるものを一つだけ選んで、以下に示しました。

まえがき　Rasmussen, Morten et al (2014) "The Genome of a Late Pleistocene Human from a Clovis Burial Site in Western Montana," *Nature* 506, 225–229, doi:10.1038/nature13025

1章　牧秀樹 (2019)『誰でも言語学』開拓社，東京.

2章　中国政府公式ホームページ：中国语言文字概况 http://www.gov.cn/guoqing/2017-11/22/content_5241528.htm, 2019 年 10 月 22 日検索.

3章　Maki, Hideki and Amanullah Bhutto (2013) "Genitive Subject Licensing in Modern Urdu," *English Linguistics* 30, 191-203.

4章　Maki, Hideki, Kenichi Goto and Mohammed Joynal Abedin (2008) "On the Distribution of Nominative and Genitive Case in Modern Bengali," 日本言語学会 137 回大会 予稿集，286-291.

5章　Maki, Hideki, Lina Bao and Megumi Hasebe (2015) *Essays on Mongolian Syntax*, Kaitakusha, Tokyo.

6章　Wang, Shao-Ge and Hideki Maki (2021) "On the Distribution of the Genitive Case Marker in the Manchu Language," *JELS* 38, 248-254.

7章　Wang, Chun-Qiu (in progress) *Case Properties of Xibe*, Master's thesis, Gifu University.

8章　Xie, Yu-Han and Hideki Maki (2019) "On the Distribution of Genitive Subjects in Kazakh," 日本言語学会 159 回大会予稿集，215-221.

9章　Jin, Yin-Ji and Hideki Maki (2013) "The Genitive Subject in the Yanbian Variety of Korean: A Visual Analogue Scale Analysis," *MIT Working Papers in Linguistics #67: Proceedings of the 8th Workshop on Altaic Formal Linguistics* (*WAFL8*), ed. by Umut Özge, 153-158, MITWPL, Cambridge, MA.

10章　Wu, Pei-Zhi (2021) *Case Properties of Uzbek*, Master's thesis, Gifu University.

11章　Yao, Yun-Qian（2021）*Case Properties of Uyghur*, Master's thesis, Gifu University.

12章　Daojicao and Hideki Maki（2019）"Embedded Topicalization in Tibetan," paper presented at the Twelfth International Spring Forum by the English Linguistic Society of Japan.

13章　Wang, Shao-Ge and Hideki Maki（2019）"The N′-Deletability and the Non-Availability of Genitive Subjects in the Tujia Language," 日本言語学会158回大会予稿集, 183–189.

14章　Hu, Xue-Ying and Hideki Maki（2020）"What does the Unavailability of Genitive Subjects in Naxi Suggest?," *JELS* 37, 31–38.

15章　Jin, Xiao-Yu and Hideki Maki（2019）"Relative Clauses in Buyi," paper presented at the Twelfth International Spring Forum by the English Linguistic Society of Japan.

16章　Schauber, Ellen（1979）*The Syntax and Semantics of Questions in Navajo*, Garland, New York.

17章　Li, Y.-H. Audrey（1990）*Order and Constituency in Mandarin Chinese*, Kluwer, Dordrecht.

18章　篠田謙一（2019）『新版　日本人になった祖先たち—DNAから解明するその多元的構造』NHK出版, 東京.

索　引

180

著者紹介

牧　秀樹　(まき　ひでき)

　岐阜大学地域科学部教授。1995 年にコネチカット大学にて博士号（言語学）を取得。研究対象は、言語学と英語教育。
　主な著書・論文：*Essays on Irish Syntax* (Dónall P. Ó Baoill 氏と共著、2011 年、開拓社)、*Essays on Mongolian Syntax* (Lina Bao、Megumi Hasebe 氏と共著、2015 年、開拓社)、*Essays on Irish Syntax II* (Dónall P. Ó Baoill 氏と共著、2017 年、開拓社)、"The Minimal English Test: A New Method to Measure English as a Second Language Proficiency" (Kenichi Goto, Chise Kasai 氏と共著、*Evaluation & Research in Education* 23、2010 年)、「The Minimal English Test（最小英語テスト）の有用性」(長谷川信子編『日本の英語教育の今、そして、これから』2013 年、開拓社)、『The Minimal English Test（最小英語テスト）研究』(2018 年、開拓社)、『誰でも言語学』、『最小英語テスト（MET）ドリル』〈標準レベル：高校生から社会人〉、〈センター試験レベル〉、『中学生版 最小英語テスト（jMET）ドリル』(以上、2019 年、開拓社)、「英語 monogrammar シリーズ」『関係詞』『比較』『準動詞』『助動詞・仮定法』『時制・相』(以上、2020 年、監修、開拓社)、『金言版最小英語テスト（kMET）ドリル』(2020 年、開拓社) など。

これでも言語学
──中国の中の「日本語」──

© 2021 Hideki Maki
ISBN978-4-7589-2353-8　C0080

著作者	牧　秀樹
発行者	武村哲司
印刷所	日之出印刷株式会社

2021 年 5 月 25 日　第 1 版第 1 刷発行

発行所　　株式会社　開拓社

〒 112-0013 東京都文京区音羽 1-22-16
電話　(03) 5395-7101（代表）
振替　00160-8-39587
http://www.kaitakusha.co.jp